Manual for divorce
due to moral harassment

「夫がこわい」を卒業したいあなたの

モラハラ離婚のトリセツ

著
弁護士法人グレイス 家事部

ぎょうせい

はじめに

「モラハラ」――。

略称するとなんとなく可愛げがあり、冗談のようにも響くこの言葉ですが、現実のモラル・ハラスメントは、被害者の心に深い傷を負わせる残酷な問題です。

加害者側に加害の意識が薄く、被害者の方もつらさこそ感じていても、**「しかたがない」「自分が悪い」**とその状況を受け入れてしまう傾向にあります。このような歪んだ関係は、時間とともにエスカレートし、やがて抜け出せない「沼」に入ってしまうのです。

私たちは、日常的に多くの法律相談を受け、実際に依頼者の代理人として職務にあたるなか、様々なケースのモラハラと遭遇してきました。

そうした経験を通じた私たちが、配偶者の一方的な態度に日々**息苦しさ**や**モヤモヤ**

を募らせている方に向け、問題解決の一つを提案できればと思い、この本の出版に至りました。

夫婦生活は、外からは見えづらいため、不公平や一方的なハラスメントがまかり通りやすく、被害者の方が孤立しがちです。

この本は、そうした孤独を感じ、日々心を痛めている方に手に取って読んでいただくことを目的に作ったものです。


なお、この本は妻側の立場から執筆しています。それは、経験上、数の総体としてモラハラ問題では、妻側が被害者となるケースが顕著に多いことによります。

しかし、本来、モラハラ被害に性別は関係ありません。実際、当事務所でも男性側被害者を数多く弁護しています。本書は、性別に関するいかなる差別についても支持する趣旨ではありませんので、そのことを最初に明記します。

家庭内のモラハラでお悩みの方にとって、少しでも助けになることができれば、何よりの幸いです。

contents

第2章 モラ夫とは離婚した方がいい？

第3章 モラハラ離婚を準備する

第4章 モラハラ離婚のステップは?

モラハラ裁判例

STAFF
イラスト　ヤマグチナナコ
ブックデザイン　西垂水敦・内田裕乃（krran）

第1章

うちの旦那、モラ夫かも？

毎日つらいのは「モラハラ」のせいかも？

「モラハラ」――。すでに世間ではよく耳にする言葉です。

昔は、**「家庭内暴力」**とか**「虐待」**という言葉がありましたが、それよりはだいぶ響きが軽いため、世の中に広く定着しました。

モラハラとは、いったいどんな状態をいうのでしょうか。

「モラル・ハラスメント」という言葉を最初に使ったのは、フランスの精神科医・マリー＝フランス・イルゴイエンヌという人物とされます。

彼女の言葉自体に対しても複数の解釈があるようですが、その一つとして、モラハラとは、精神的・情緒的な次元を通じて行われる**継続的な嫌がらせ**であり、かつ、それが**隠蔽されたもの**を指す、との理解が知られています。

肉体的な暴力のようにわかりやすくはなく、加害者側は**自分の論理を盾に間接的に攻撃してくる**のが特徴です。

そのため、**第三者が被害を認識しづらく、被害者自身ですら不当な攻撃を受けていると認識できないことが多い**ということです。

また、モラハラは、他人の目が入らない家庭内において、特に起こりやすい現象です。

外面のよい加害者が、家庭という密室を利用して被害者を否定する。あるいは、加害者側の尺度でのみ肯定する。

こういう日常を繰り返すことで、**加害者が被害者を支配し、その精神を従わせていく**――それがモラハラなのです。

あなたは大丈夫ですか?

知らず知らずのうちにモラハラの支配を受けていませんか?

8つのタイプでわかる！ モラ夫診断

私たちは、日々相談に応じるなかで、モラハラにはいくつかのタイプがあると気がつきました。

この本では、そのうちの8つについて、詳しく紹介します。

タイプ
1

言動で威圧感や恐怖を与えるモラ夫

＼ こんなことを言いがち ／

■誰のおかげで生活できてると思ってるんだ

■だったら僕と同じだけ稼いでみなよ

■家事は君の仕事だろ

肉体的な暴力は明らかな犯罪ですが、言葉の暴力が犯罪と認識されるケースは多くありません。

そのため、加害者は自分の感情次第で安易に他人を傷つける発言をしがちです。

具体的な発言でなくとも、**舌打ちしたり、無視したり、**あるいは、**大袈裟に首を捻りながら「意味がわからない」といった嫌味なジェスチャーを行ったり……。**あの手この手で侮蔑の念をぶつけてきます。

残念なことに、世の中には、このように心を傷つける言葉や態度で妻を攻撃しようとする男性が一定数存在します。

モラハラの定義には「隠蔽」というキーワードがあるといいました。

この「隠蔽」は、**第三者に対して見えづらいというだけでなく、被害者自身にすら、それが「ハラスメントである」と認識させない**という意味を含むと、私たちは考えています。

モラ夫は、自分の論理を使って自らを正当化しつつ、妻を非難します。そのため、妻の中には、**「自分が悪い」と刷り込まれ、自己否定に陥ってしまう**方がたくさんいます。

しかし、モラ夫の論理は、客観的にみれば不当であることが少なくありません。

たとえば、専業主婦の妻に向けてモラ夫が言いがちな、**「誰のおかげで生活できてると思ってるんだ！」**という台詞。

どこかで一度は耳にしたことがある典型的なモラハラワードではないでしょうか。

こんな発言をするモラ夫は、妻の生活を経済的に支えていることを理由に、妻に対してマウントをとっているのです。

しかし、冷静に考えれば、**夫が家計を支えることと、妻が夫に精神的に従わなければならないことは、論理的に別次元の問題**で、何の必然性もありませんよね。

そもそも、法律的にいえば、**妻による家事労働や子どもの世話は、夫の労働と**

同等の評価が与えられます。

夫婦が離婚する場合、婚姻期間中に夫婦で貯めた財産を分け合う「財産分与」という手続きがありますが、**専業主婦であっても、家事労働や子の養育監護を通じ、財産の形成に対して夫と同程度の貢献をしたとみなす**のが通例なのです。

こうした法律の理論に照らしても、**「お金を稼いでいるから自分に従え」というモラ夫の論理は不当です。**

しかし、モラ夫は、そうした誤った論理を正しいものと信じ込み、妻に対してもその価値観を押しつけようとします。

経済的に依存していること自体は事実であるため、**妻側もこの一見もっともらしいモラ夫の論理を信じてしまい、苦痛を感じつつも自分を責めてしまうのです。**

タイプ 2

生活費を渡さないモラ夫

だったら言うことききなよ
キミが稼げばいいじゃん

こんなことを言いがち

■だったら君が稼げばいいじゃないか

■金がほしいなら、言うことをきけ

■原因はお前にあるんだからな

口論の末、激高したモラ夫がその後、生活費を渡さなくなった……。

このような事例も世の中では後を絶ちません。

被害者や子どものために積み立てられていた保険が解約され、夫の個人名義の預金とされてしまったといった事例もあります。

妻が困っていると訴えても、

「お前が原因だ」

「だったら君が稼げばいいじゃないか」

と、一方的な言い分をくり返すだけ。

モラ夫は、何のためにこのようなことをするのでしょうか。

多くの場合、その動機は、妻を精神的に従えさせることです。

妻を屈服させ、謝らせ、服従させる手段として、生活費を人質にとり、実際に

妻が従わない場合は、とうとう生活費を渡さなくなります。

しかし、こうしたモラ夫の行動も法律的にみれば不当そのものです。

法的に話をすれば、夫婦は互いに「**扶養義務**」を負っています。

収入がある夫が、収入のない、または乏しい妻を扶養しなければならないのは、「婚姻」という契約に基づく、当然の「義務」です。

妻が夫に従っていることへの「褒美」ではないのです。

自らの意思で婚姻した以上、後になってから

「態度が気にくわない」

「言うことを聞かない」

というだけで妻を兵糧攻めにすることなど許されません。

しかし、実際には、第三者の目がないことや、妻側の無知につけ込んで、経済的な嫌がらせが行われる事例は数多く存在します。

「金がほしいなら、言うことをきけ」

この言葉を聞いて、あなたはどのように感じますか。

「悲しいけどしかたがない」
「稼ぐ力がない私が悪いのかな」
と自分に責任を求めたり、自分を責めたりしていませんか。

このように、モラ夫の論理を受け容れることで、夫婦の間には抜け出すことの難しい〝モラハラ構造〟が成立してしまうのです。

タイプ
3

モノに当たり散らすモラ夫

こんなことを言いがち

- あまり俺を怒らせるな
- これ以上、俺を怒らせたら大変なことになるぞ
- 俺を怒らせる才能あるな

・壁を殴ったり、蹴ったりする
・テレビのリモコンを投げる
・机を叩きつける
・ドアを「バーーン!!」と思い切り閉める

口論になった際、あなたの夫は怒りにまかせて、こんなことをしていないでしょうか。

本人としては、直接の暴力でないという点で、一線を引いているつもりかもしれませんが、近くにいると怖いですよね。

妻からすれば、一歩間違えれば、そうした暴力が自分の身に向けられるのでは……と想像してしまいます。

こうした行動を起こすモラ夫側の心理には、

「あまり俺を怒らせるな」

「これ以上、俺を怒らせたら大変なことになるぞ」

といった警告ないし脅迫の意図が込められています。

妻側としては、壁や机を殴られたり、モノを壊されたりという行為は、強い恐怖とストレスを感じるため、なんとかそのような状況を避けたいと考えます。

しかし、モラ夫は、こうした妻側の心理を見越しています。**妻がモラ夫との対立を避け、反論したくともできないように、精神的に追い込むことで、従属関係を築き、〝モラハラ構造〟を作り上げるのです。**

身体に対する直接的な暴力で他者を支配する場合、それはあまりにも明らかな悪であり、犯罪行為ですので、社会的・法的な制裁を通じて、被害者側は容易に反撃することができます。

一方、それが間接的な手段にとどまる場合、社会的にも法的にも問題視されづらく、被害者側もあきらめてしまうのです。

モラ夫は、意識的か無意識的か、そうしたグレーゾーンを巧みに利用しながら、自分の正当化を図り、妻の支配を試みます。

「怒らせたら怖いから、言うことを聞くしかない」
「不機嫌になると空気が気まずくなるから、従うしかない」

こうしたあなたの優しさが、かえってモラ夫の行動を助長し、モラハラをより深刻な状況にさせてしまっているかもしれません。

タイプ
4

あなたの身内を批判したり蔑んだりするモラ夫

お前の家族ヤバイんじゃない？
まじでお前の親ムリ

＼こんなことを言いがち／

■お前の親、変だな

■君の親族は頭がおかしい

■お前の親族、なんとかしろよ

あなたの親や親族を否定する心無い発言が夫からされたことはないですか？

こうした「**親族の否定**」も、家庭内のモラハラ被害ではよくみられます。

家族の存在を自分のアイデンティティの一部と感じることは、ふつうの感覚です。

そうしたなか、あえて**妻側の親族の人格を否定することは、間接的に妻自身の人格を否定するようなものです。**

「**お前の親、おかしいんじゃない？**」

そのような心無い発言を受けた妻は、どう行動すればよいのでしょうか？

モラ夫に賛同して、一緒に自分の親族を非難して縁を切ればよいのでしょうか？

それとも、親族に代わってモラ夫に謝罪すればよいのでしょうか？

ただ黙って我慢していればよいのでしょうか？

いずれにせよ理不尽といわざるを得ません。

どのような対応をとるにせよ、妻にとって、親族と配偶者の板挟みになり、精神的に追い詰められることは容易に想像できます。

モラ夫も、そうした妻側の心情は簡単に理解できるはずです。にもかかわらず、このような発言を行うのは、モラ夫が妻に**敵か味方かの踏み絵を迫ることで、妻を支配しようとしている**からなのです。

このようなモラ夫の心理には、「**妻は自らの大切なものを否定してでも、夫の肯定者であるべき**」**という、度を超えた承認欲求**が潜んでいるように思います。

モラ夫は、その欲求に〝論理の衣〟をまとわせ、容赦なくそれを妻にぶつけてきます。

モラ夫には、一見それらしい理由を主張して、他者を攻撃する傾向がありますが、それは、妻の親族を否定する場面でも同じです。

「○○だから、お前の親は変だ」
「○○だから、君の親族は頭がおかしい」

と、一見それらしい理由をつけて、妻に対し自身の正当性を刷り込みます。

その理由の当否はさておき、親族の悪口を言われて妻が傷つくことだけは明らかでしょう。

先ほどのとおり、妻自身の問題でないため、妻としては問題の解決のしようがありません。板挟みになって苦しむだけです。

自覚のあるなしにかかわらず、夫が家庭内でこのような言動を日常的に行っているとすれば、その夫婦関係は、すでに〝モラハラ構造〟に陥っているかもしれません。

タイプ
5

過剰に束縛してくるモラ夫

＼こんなことを言いがち／

■スマホのパスコードを教えろ

■LINE見せて

■あいつとは会うな

夫から、このような束縛を受けたことはありますか？

・スマートフォンのパスコードを教えるよう迫られる
・LINEのトーク画面を見せるようにいわれる
・GPSで24時間居場所を監視される
・働きたいのに働かせてもらえない
・人間関係に口出ししてくる

人間には、少なからず所有欲があります。

束縛も、ある程度までは、健全な夫婦関係の中で起こりうる自然なことかもしれません。

しかし、**度が過ぎれば、それは、他者に対する支配です。**

過度な所有欲は、人の意識を歪めます。

相手を「愛する」ことの意味を、相手を「尊重する」ことから、「支配する」

ことにすり替えてしまうのです。

自分の思いどおりに配偶者をコントロールしたいという欲求が、妻の自由をじりじりと侵食し、いつしか、それが当然の権利であるかのようにモラ夫自身が錯覚しはじめます。

束縛には段階があります。

最初は、たとえば、**「君は僕だけのものだから家にいてほしい。働きに出ないでほしい」**といった束縛を「愛情」と捉え、肯定的に受け入れることもあるかもしれません。

しかし、何かのきっかけでモラ夫の猜疑心が刺激されると、**ありもしない不貞を疑い、人間関係一切に口を出すようになり、スマホのパスコードを教えないことに怒り、その後、LINEのトーク画面を盗み見たり、GPSを仕込んだり、盗聴したり……**といった過激な監視行動に発展します。

他者の人格を尊重して、その幸福を願うことが健全な愛情だとすれば、このような支配行動はその対極にあります。

配偶者の自由を自分の支配欲のために奪うことは、配偶者の人格を尊重し、その幸福を願う精神とはほど遠いことです。

モラハラ被害では、こうした過度の束縛は数多く存在します。

束縛行動は、妻側もそれを愛情と錯覚することがあり、妻自身に被害者意識が芽生えにくいものです。

「隠蔽」という、モラハラのキーワードにまさしく合致する類型といえますが、束縛の程度が徐々に過激化していくことで、妻側も疲弊していくことが多いです。

常に疑われ、監視される状況に、だんだんと心がすり減っていくのです。

夫婦生活を振り返ってみてください。

夫が監視行動を当然の権利のように考えているふしはありませんか？

タイプ 6

自分の意見を押しつけてくるモラ夫

こんなことを言いがち

■こんなドラマなんて見るな

■その映画のどこがおもしろいの？

■○○党に票を入れるなんて頭がおかしい

たとえば、あなたが韓流スターに夢中になっているとき、夫が日韓の政治問題を理由に、認識を改めるよう諭してきたことはないでしょうか？

あるいは、ある映画がおもしろいと感想を言ったときや、選挙である政党の候補者に投票したときに、夫がいろいろと理由を挙げながら、あなたの考えを改めるよう求めてきたことはないでしょうか？

モラ夫は、自覚の有無にかかわらず、妻の精神を支配しようと行動します。そして、その一つの現れに、**「精神的同調の強要」**があります。

モラ夫には、**物事を「善」と「悪」で捉える傾向があり、自分が考える「正しいあり方」に沿って、妻の考えを矯正しようとします。**

モラ夫の中には、夫婦という結びつきに特別の思い入れを持つ人が少なくありませんが、妻に対して自分と同じ程度に理性的（モラ夫の主観による理性）であることを求め、たとえ、それが**娯楽や個人的な信条に関することでも、妻に対して**

自身の考えや思考を強要してきます。

モラ夫は、妻が自分と異なる価値観や好みを持っていることに不快感を抱き、理由を説きながら矯正しようと試みます。

これがエスカレートすると、**宗教上の信仰の強要や、子の教育に対する考えの押しつけなど、妻以外の人を巻き込んだ問題にエスカレートし、家庭環境に致命的なトラブルをもたらすこともあります。**

このような行動をとるモラ夫は、自分は正しい行動をとっている、妻のためにやっていると錯覚しています。

妻を正しい方向に導こうとしていると本気で信じており、考えを矯正される妻側の心の痛みを理解できません。

モラハラ加害者一般にいえることですが、彼らは、**論理を駆使する一方で、価値観を相対的に考えることが苦手**です。

たとえ夫婦であったとしても、自分と異なる人間である以上、自分と異なる考えを持っている方がむしろ自然です。

しかし、このような一般的な感覚をモラ夫は理解できないのです。

一方的な価値観から出発し、そこから先は、得意の論理と行動力で配偶者を説得しようとエネルギーをひたすら注ぎます。

妻側が、そうしたモラ夫の姿勢がおかしいと明確に気づけば、最初の時点で対立が生じます。

一方、**モラ夫の言い分を信じたり、寄り添おうと努力していると、状況は好転するどころか、モラ夫の要求がどんどん増えていきます。**

いつしか、あなたの心の中に無限に入り込んできて、どこまでもあなたを支配しようとしてきます。

他人に価値観を合わせなければならないのは、とても苦しいことです。

タイプ
7

性行為を強要してくる モラ夫

こんなことを言いがち

- ■俺にはお前とセックスする権利がある
- ■僕が求めているのに応じないのはおかしい
- ■結婚してるんだから当然だろ?

「性」は、自我と深く結びついています。

法律でも、**「性的自己決定権」**は、古くから法律上の保護対象です。

同意のない性行為を犯罪として刑罰の対象とするのも、法律が個人の「性的自己決定権」を保護しているからです。

ちなみに、日本の「強制性交等罪」（現在では「不同意性交罪」に罪名が変わっています）の検挙率をみると、その数字は95．8％とされています（「犯罪白書 令和4年版」より）。

「同意なき性交」を強要した場合、ほとんどの事件で犯人が捕まっているのです。

では、**夫婦間で「同意なき性交」を強要された場合**は、どうなのでしょうか。

結論からいえば、**性犯罪として〝成立〟します。**

夫婦間においても、個人の「性的自己決定権」は保護されるからです。

夫婦には、互いに性交渉を求める権利があるとされますが、性交渉を拒否する配偶者に対し、それを強要する権利までは認められないのです。

しかし、現実には、こうした法律の知識を持っている方は多くありません。
むしろ、逆の感覚を持っている人が少なくないように見受けます。

「俺にはお前とセックスする権利がある」
「僕が求めているのに応じないのはおかしい」

等といった言葉に聞き覚えがある方も少なくないのではないでしょうか。

結婚した以上、配偶者以外の異性と性交してはならないことを理解している人は多いです。
モラ夫の中には、そこから自分にとって都合のいい解釈を持ち込み、「第三者との性交渉を禁ずるのであれば、妻は当然に夫の性交要求に応じなければならない」という誤った論理を確信している人がいます。

そうした誤った論理を押しつけ、**望まぬ妻に性交を強要することは、明らかなハラスメント**です。

それどころか、冒頭で述べたとおり、**性犯罪として立件することすら可能な問題です。**

これを読んで思いあたることがあれば、あなたはもう被害者です。

夫を性犯罪者として刑事告訴するかどうかは別としても、少なくとも、**したくもない性交渉に応じる必要はありません。**

「それでもしないと夫が怒るから……」

と感じる方は、深刻な〝モラハラ構造〟の中に入ってしまっているかもしれません。

タイプ
8

子どもを巻き込んで あなたを陥れるモラ夫

こんなことを言いがち

■おうちの中、汚いね

■ママは○○（子ども）よりもお友だちの方が大事みたいだよ

■ママ失格だね

いじめの定石は、対象者を孤立させること。

嫌な話ですが、そういう現実が世の中には昔から存在します。

モラハラの例でも、こういった孤立を図るモラ夫がいます。


くり返しになりますが、**モラ夫は、妻を非難することが大好き**です。

気に入らないことがあれば、否定の意思を伝えずにはいられません。

その伝え方には、「怒鳴る」「モノに当たる」といった方法のほか、**子どもがいる家庭では、子を巻き込み、妻を陥れる**というものがあります。


たとえば、「**おうちの中、汚いね**」と、夫が子どもに言っているのを見たことはありませんか？


モラ夫は、几帳面でこだわりの強い方が多いです。

そのため、家事にうるさく、妻を監視しがちというのも有名な話です。

当然、部屋の掃除に満足いかないと嫌味の一つも言いたくなるのでしょうが、子どもを使うのは反則です。

モラ夫は、子どもが「うん」と自分に肯定することを期待しています。**子どもにまで自分への同調を求め、それを見せつけることで、妻の孤立を狙うのです。**

モラ夫というのは、いつでも妻を否定し、その間違いを認めさせたいのです。

こうした言動の中に、子を思う要素はありません。

〝自分が「善」で、妻が「悪」〟と巧みに子どもに刷り込み、味方を増やして自分の正当性を妻に誇示したい、というのがモラ夫の本音です。

そのため、夫の発言は常に妻を下げ、その反面で自分を上げようとします。

「おうちの中、汚いね」

⇕「ママがダメだから、パパが掃除するね」

「ママは、〇〇（子ども）よりもお友だちの方が大事みたいだよ」

⇕「パパは、〇〇のことを一番大切に思っているよ」

「ママ失格だね」

⇕「〇〇のことはパパが守るよ」

家庭という最も小さなコミュニティですら、マウンティングせずにはいられない、モラ夫はそうした悲しい宿命を背負っています。

しかし、その宿命は周囲の人を不幸にします。

妻はもちろんのこと、子どもにとっても決してよいものではありません。

両親の不仲に巻き込むことは、子どもの情操に深いダメージを与えます。

子どもにとっては、両方ともが親であり、いずれかを否定するよう仕向けられるのはつらいことなのです。

病院にすら行かせてくれないモラ夫に対する慰謝料請求

東京地裁平成17年3月8日判決
判決要旨:モラ夫は、妻に対し、慰謝料250万円を支払え
婚姻期間:5年4か月間

弁護士のコメント

いたたまれない事件です。

暴言や振るまいによる精神的虐待という点で、モラハラそのものといえます。

裁判所は、こうしたモラ夫の行動に対し、「**婚姻が破綻した原因は…夫の配慮に欠けた態度や威圧的かつ粗暴な言動にあった**ものというべきであるから、**夫がこれらの言動を重ねて婚姻を破綻させたことは総体として不法行為を構成**し、夫は、妻が被った精神的苦痛を慰謝する責任を負う。」と判示しました（判決文中の「原告」を「夫」に、「被告」を「妻」に言い換えています）。

実際の判決文には、その他にも、夫がプロポーズの際に虚偽の条件を妻に伝えていたことや、長男に対する暴言等も理由として挙げていますが、モラ夫の法的責任を認めた決定打は、本書で取り上げたようなあまりにも一方的で心無い言動の数々にあったと思われます。

このケースは、婚姻から離婚までの期間が5年4か月間と短いですが、認められた慰謝料は比較的高額です。これは、担当した裁判官がモラハラによる妻の精神的苦痛を重くみたことによるものといえます。裁判官の中には、暴力や不貞を伴わないモラハラでの妻の苦しみを軽く考える方も少なくありませんが、本判決は、そうしたモラハラで違法性を肯定しただけでなく、重い賠償責任を認めた点で進歩的な判断といえます。

第2章

モラ夫とは離婚した方がいい？

この息苦しさは、ずっと続くの？

家庭は閉鎖的な空間です。
閉ざされた世界で、第三者からは中がどのようになっているのか見えません。
これは、モラハラの環境としてはうってつけです。

モラハラは、わかりやすい暴力とは異なります。第三者や被害者本人にも意識されないまま、見せかけの正当性をまとい、日々の生活に紛れ込みながら、少しずつ、じわじわと被害者の精神を侵食していきます。

「なんとなく心が苦しいけど、原因がわからない」
「原因は自分にあるから、しかたない」
「原因が相手にあると思っても、相手の性格や子どもの将来を考えると自分が我慢するしかない」

こういった**「見えづらさ」「曖昧さ」「共依存性」こそが、モラハラの特徴です。**

自分にとって一番近い立場の人が、自分を支配しようとしている。

本人は無自覚で、罪の意識もなく、〝当然のこと〟〝妻のための行動〟といって胸を張っている。

そんな夫側の理屈で、叱られ、否定され、蔑まれる。

「毎日いろいろ言われて、だんだん頭もぼんやりしてきた」
「夫が言うことが正しいような気になってきて、自分に自信も持てなくなった」
「なんで私はこんなに苦しいんだろう」
「この関係は、この先どちらかが死ぬまで続くのだろうか」

モラハラ被害に遭った女性には、こうした切実な心情を抱く方が少なくありません。モラハラは、それだけ人の心を追い詰める残酷な現象なのです。

終わりのないモラハラの解決策とは

知らず知らずに息苦しさを感じている。
わかっていても抜け出せず、苦しくて苦しくてしかたがない。

もし、そんな状況にあるのであれば、その根本的な解決策を一度は真剣に考えてみてはいかがでしょうか。

解決策とは、すなわち「離婚」です。

離婚というと、ポジティブなイメージを持ちにくいかもしれません。

ですが、実際にモラハラ被害で悩んだ経験がある方は、皆さん離婚できてよかったといいます。

それだけ結婚生活がつらかったということですが、終わりのみえないマウンティングのループから解放されることに安堵感を覚えるのです。

はっきり言いますが、**離婚はモラハラの特効薬**です。
これ以上に効く薬はありません。

離婚すれば、モラ夫は妻の生活圏から法的にも実際上も排除されるからです。
あなたを支配したくとも、支配するための根拠のすべてを失います。

モラ夫は、接近戦が得意です。
夫婦という最も距離の近いポジションで、家庭という狭くて外から見えない空間を利用しながら、チクチクジワジワと妻の精神を蝕んでいきます。

しかし、離婚すると、もはや接近戦は通用しません。
妻に攻撃をしかけたくとも、もはや夫のリーチは届きません。
離婚は、モラハラ被害から抜け出すために最も効果的な手段となるのです。

2人で話し合いができるかどうか

もちろん、離婚以外にも考えられる方法はあります。

たとえば、夫と話し合って、自分の気持ちを理解してもらい、良好な関係を目指すというのも一つのアプローチです。

ただ、これまでみてきたとおり、モラ夫というのは、単にあなたと気が合わない夫を指すのではありません。

モラ夫は、物事の捉え方が明らかに通常と異なり、独善的で共感を欠いています。

〝自分と妻は、互いに異なる価値観を持っていてよい〟ということ、

〝自分には妻を傷つける権利などない〟ということ、

〝子を巻き込めば子を不幸にしてしまう〟こと、そういう当たり前の認識すら、共有することができない夫を指すのです。

話し合いというのは、基本的な認識を互いに共有することができて初めて有効な解決手段となります。

あなたの夫は、そうした認識を共有できますか？

もし不安があるのであれば、話し合いによる解決にはあまり期待をされない方がよいように思います。

〝離婚がモラハラに対する特効薬〟だというのは、モラ夫との関係は、話し合いによって好転させることが本質的に難しいということの裏返しなのです。

モラハラで離婚を選択することの意味

もう一つ、離婚には積極的な意味があります。

それは、**必然的に新しい人生を進むきっかけになる**ということです。

多くの人は、変化を嫌い、現状を維持しようとします。

たとえ現状がつらく苦しいものであったとしても、自分をあざむき、都合のいい解釈を与え、なんとか現状を維持することに納得しようとします。

モラハラの構造は、そうした被害者側の受動的な意識を利用して形成されています。

しかし、離婚することで強制的にそうした共依存関係を清算することになり、自然と新しい人生や新しい人間関係の構築に目が向くようになります。

このように、**離婚には、自分自身を開放し、新たな人生にチャレンジする環境を自然に提供してくれるという側面がある**のです。

ここからは、私たちが携わったモラハラ事案のうちから2つを紹介します。

個人情報秘匿のために、名称を変えて、個人を特定できないようにして表現していますので、ご容赦ください。

事例 1

過剰な愛情と依存症タイプのモラ夫との離婚

はるこさん（仮名）の場合

はるこさん（仮名）の夫は、自宅を利用して学習塾を開いていました。

婚姻後10年が経過していましたが、その間、はるこさんはずっと、**夫の言動や過度の依存、そして性交渉の強要**に悩まされていました。

夫は、**言葉巧みで人当たりもよく、周囲からは好印象を持たれていた**そうです。

もっとも、家庭内では、仁王立ちで無言のまま妻をにらみつけたり、言葉による暴力ではるこさんや子どもを支配していました。

そんな夫の口癖は、「俺は手を挙げたことは一度もない」「暴力はしていない」「何が怖い？　どこが怖い？」などというものです。

しかし、はるこさんからすれば、そうした態度や姿勢自体が怖くてしかたのないものでした。

夫は、何につけても自分が一番でなければ気が済まず、「僕には愛情が必要だ。愛情が一番だ」と口癖のように言っていました。

二児を出産した際、はるこさんは骨粗鬆症を患い、背骨を数か所骨折し、日常生活に支障を来たす状況に陥りました。

そのようななか、夫が家事・育児を手伝ってくれたこともあったそうですが、その一方で、**はるこさんの目が子どもに向けられていることや夫よりも子どもを優先することが気に食わなかった**ようで、

「子どもには愛情を与えているのに、なぜ僕には愛情を与えない」

「僕も大きな子どもと思えばいい。なんでそんな簡単なことができないの？」

「俺の仕事や一日の状況は、君の出方一つで変わるよ」

などと日常的にはるこさんをなじっていました。

また、性欲が異常なまでに強く、出産後、骨粗鬆症に悩みコルセットなしでは

日常生活すら送れないはるこさんに対して**強引に性交渉を迫り、断れば怒りを露わにして非難する**状況でした。

また、夫は、幼い子どもが見ている前でも、はるこさんに対し日常的にいやらしい行為をしてきて、はるこさんが「やめてほしい」と懇願してもそれをやめないという悪質な状況にありました。

このほかにも怒りスイッチが入るたびに、「出ていけ」「次の旦那は俺よりいい人を選べ。俺みたいな人はいないけどね」等と発言し、はるこさんの精神を削っていきました。

夫は、**酒に酔うと暴言や問題行動が増しました**。

ある時、親族間でバーベキューをしていると、酒に酔った夫がエアガンを幼い長男の胸に当て、周囲が止めに入っても「大丈夫。弾は入っていない」と言って引き金を引いたのです。実際にはエアガンの中に弾が入っていて、子どもの胸にくっきりと弾痕が残っており周囲はパニックになりましたが、撃った本人は酔っ払っているせいか気にとめる様子もありませんでした。

こうした状況を悩んだはるこさんが、公共施設のカウンセリングを受けた際に弁護士への相談を勧められ、私たちの事務所に離婚交渉の代理を依頼しました。

解決までの道のり

担当弁護士から夫に連絡のうえ、離婚への理解を求めて説得を行いましたが、夫は、はるこさんへの執着から離婚を拒否しました。

その後、夫は、1週間ごとに交代で子どもたちと暮らすことを条件とすれば離婚してよいと考えを変えましたが、そもそも子どもたち自身が父親との面会を拒んでいたため、この条件は受け入れられるものではありませんでした。

結局、夫側が条件を変更する兆しがみえなかったため、協議を打ち切り、こちらから離婚調停を申し立てました。

夫は、離婚調停でも同様の主張をくり返していましたが、精神を病んだのか途中から裁判所に出頭しなくなりました。当事者不出頭では調停は成立できないため、やむなく訴訟に切り替え、最終的にいわゆる欠席裁判で終わりました。

担当弁護士がみるポイント

手を挙げていないことを誇示しつつ、暴言や振るまいで妻を威圧する典型的なモラハラ事例でした。**家庭内の言動に反し、家の外では紳士的に振るまう**という部分もモラハラ事件でよくみられる特徴と一致します。**同居時は子どもに対して関心を払っていなかったにもかかわらず、離婚紛争に発展すると親権を主張したり、過剰な面会交流を要求してくる**点もモラハラ事案によくみられる例です。

はるこさんは、離婚を決意するまでの間に、すでにかなり精神をすり減らしていました。家庭内の状況に照らせばそれも当然だと思います。

しかし、驚くべきは、公共施設のカウンセリングを受けてモラハラを指摘されるまで、**はるこさん自身に被害の自覚がなかった**ことです。

たしかにそういう事例は少なくないのですが、モラハラ現象が、外から見る景色と、内側から当事者が見る景色とでかなり異なることを改めて実感します。

また、はるこさんには、**家庭内の悩みを恥ずかしいと感じ、他人に相談しづら**

かったという心理がありました。

モラハラは、密室を利用して行われることが多い問題ですが、こうした被害者側の心理も、加害者を増長させる一因となっているかもしれません。

離婚に向けた手続きでは、当初の想定どおり協議での解決は困難でした。夫側の主張が不合理なものばかりで一切の妥協を示さないため、折り合う余地がなく、調停にすら参加しなくなったため訴訟によらざるを得ませんでした。

モラ夫が相手となる場合、合理的な協議が成立しないことが多いため、訴訟に発展するケースも少なくありません。

しかし、相手方の交渉や訴訟対応まで手続きのほぼすべてを弁護士が対応するため、クライアントの負担はかなり軽減されたと思います。

ずっと苦しい思いをされてきたはるこさんですが、離婚できた際は本当に喜んでいました。つらい気持ちを清算し、新たな人生を歩むことができるというはるこさんの言葉に嘘はなかったと思います。

事例
2

粘着質で話の通じないモラ夫との離婚

なつみさん（仮名）の場合

なつみさん（仮名）の親族による無料法律相談をきっかけに受任した事件でした。

なつみさんと夫は、婚姻後約2年で別居に至っており、離婚事件としては婚姻期間が短い類型です。2人は、交際中になつみさんが妊娠したことを契機に婚姻に至っており、夫にとっては再婚でした。

もっとも、婚姻後の夫婦生活は、なつみさんが思い描いていたものとは違っていました。

夫は、性欲が強く、**望まぬなつみさんに対し日常的に性行為を強要しました。**それだけでなく、**過去の異性関係を執拗に聞き出し、答えても答えなくても激高**

する、という理不尽なやりとりをくり返し、なつみさんの精神を日々すり減らしていきました。

また、夫は、日常的に意味不明な言動をくり返す傾向があり、そのこともなつみさんを悩ませました。たとえば、なつみさんの実父の就職先が虚偽である、と主張し続け、真実だと説明してその証拠を見せても納得せず、依然として**実父を嘘つき呼ばわりする**など、極端かつ理解不能な言動をくり返していました。

なつみさんは、こうした現状から逃れるべく、2人の子を連れて別居を決行したのですが、**夫はなつみさんや子どもに対し、一切の生活費を送りませんでした。**

受任前のなつみさんからの聴き取りでは、

「夫は離婚には同意すると思うが、養育費の支払いや財産分与・慰謝料の支払いといった金銭的な負担は一切受け入れないと思う」

とのことで、本件も訴訟や強制執行の利用など法的措置の必要性が早い時点で見込まれる事案でした。

解決までの道のり

なつみさんの予想どおり、**夫側は離婚こそ同意するものの、金は一切払わないとの態度で、お金の話については一切聞く耳を持たない様子**でした。こちらが明かないため、当面の生活費を確保するため、早い時点で「婚姻費用分担調停」を申し立て、同時に「離婚調停」も申し立てました。

夫は、調停の中でも、金は一切払わないとの主張をくり返したため、調停も早期に不成立とし、婚姻費用は裁判所の審判によって支払いを命じてもらい、離婚については訴訟を提起しました。

夫側は、この段階になって弁護士を代理人につけました。

相手方代理人の説得もあってか、婚姻費用は裁判所の命令どおりおとなしく支払ってきましたが、離婚訴訟では、①養育費の金額と、②慰謝料の支払義務の有無が争われました。

夫側は様々な主張を行ってきましたが、結果的に認められず、裁判所の仲介のもと、ほぼこちらの要求額での和解が成立しました。

しかし、訴訟上の和解をしたにもかかわらず、夫は、半年ほど経った頃、**一方的に養育費の支払いを止めてしまいました。**

なつみさんから相談を受けた私たちは、強制執行の申立てを行いました。幸い、夫は公務員であったため、給料の差押えから取立てまでスムーズに進みました。

養育費は、給与（賞与含む）手取り額の半額までを毎月差し押さえることができるため、滞納となっていた未払い分から未発生の将来分までを含め、一度の「強制執行手続」ですべて差し押さえることができます。

現在でも、不快極まる夫とのやりとりに悩むことなく、毎月、夫の勤め先が直接なつみさんの指定口座に養育費を振り込んでくれています。

もっとも、この事案の夫側の養育費に対する往生際の悪さは凄まじく、その後、子どもに対し、**親子関係不存在確認の調停**（子どもの父は自分ではなく別の男性であるとの主張）を行い、加えて、**養育費減額調停まで申し立ててきた**のです。

そのため、私たちは再びこれらの手続きに対応することとなりました。

まず、「親子関係不存在確認調停」に関しては、夫側の費用負担にて子のDNA鑑定を行いましたが、予定どおり父性推定の鑑定結果が出て、夫側の主張が誤りであることが証明されました。夫は検査の不正を主張し、最後まで自身の誤りを認めませんでしたが、裁判所の中でそのようなへりくつが通用することはありません。

「養育費減額調停」については、高等裁判所まで争われましたが、結果的に裁判所は、夫側の主張を不合理としてその請求を認めませんでした。

多くの法的手続を経ることとなりましたが、最終的に、そのすべてについて、なつみさんの主張が裁判所から支持される結果となりました。

担当弁護士がみるポイント

度を超えた独善性や猜疑心が、家庭を崩壊させた事例でした。

離婚が確定的となった場合、モラ夫は金銭に執着することが多いです。

この場合、婚姻費用や養育費、財産分与や慰謝料について、身勝手な主張に終始し、解決を難しくさせる傾向にあります。

別居後、妻が離婚条件についての話し合いを持ちかけても、電話やＬＩＮＥで妻への非難を一方的にくり返し、問題をうやむやにして何とか金を払わずに済まそうとするケースは少なくありません。

この事件の夫の行動はその典型例で、**裁判所の命令が出た後ですら、身勝手な理屈を盾に養育費の支払いを止める**、という非常に質の悪い事件でした。


多くの手続きを踏まなければならなかった点で、なつみさんの心労は大きいものがあったと思いますが、問題解決に向けた実働のほとんどを弁護士が行うため、なつみさんの負担は大きく軽減できたと思います。

また、今後ずっと養育費の取り立てに悩まされずに済む、という点でも喜んでもらえました。

なつみさんは、こうした理不尽な夫の元を離れ、新しい人生を歩むことができて本当によかったと話してくれています。

他人を自宅に招くことが気に入らないモラ夫に対する慰謝料請求

東京地裁平成16年12月16日判決
判決要旨：モラ夫は、妻に対し、慰謝料100万円を支払え
婚姻期間：7年6か月間

弁護士のコメント

モラハラの内容についてあまり具体的事情に触れることなく、かなり雑ぱくな理由によって夫側の賠償責任を認めた珍しい事例です。

判決では、「夫は、婚姻後も従前の生活パターンすなわち実父母とともに生活してきた当時の習慣を維持しなければ安息感が得られないという考えを心の奥底に持ち、妻を迎え入れてから、妻の立場や妻自身の価値観をも取り入れて夫婦共々安息感が得られるような家庭を築こうとせず、むしろ『異質なものを排除する』ともいうべき態度をもって、婚姻生活を送ろうとし、その過程でそれに介入するような者たちを排除したいという欲求にかられるようになったと考えられる。**夫としては、婚姻前に全く別の家庭生活を過ごしてきた妻を家族に迎え入れた以上…妻の立場ないし価値観に対する配慮を見せるべきであったにもかかわらず、これをしなかったものであって、妻との婚姻生活において夫がとった行動は、配偶者に対する配慮に欠けていた**」と述べられています（判決文中の「原告」を「妻」に、「被告」を「夫」に言い換えています）。

多くの裁判例では、この種の問題は**性格の不一致**に過ぎないとして、「多少配慮に欠ける部分があったとしても法的責任を生じさせるものとまでは言えない」と結論づけることが多いのですが、自宅への来訪者をめぐる不仲という事実のみからここまで突っ込んで夫側の人格に言及し、賠償命令まで下した点でかなり珍しい判断といえます。

第3章

モラハラ離婚を準備する

一歩踏み出したいと思ったら

日本は、伝統的に集団主義的な文化が色濃い国です。家族関係でも「家」という集団の維持が尊ばれ、離婚について否定的な視線が向けられることが少なくありません。

しかし、今は、少しずつですが、「家」への貢献という呪縛から解放され、一人ひとりが自分の幸せを求めていいと気づきはじめ、周りもそれを尊重する雰囲気が広がってきています。

離婚については、まだまだネガティブな印象を持たれる方が多いと思います。周りの視線だけではなく、子の将来や経済的な不安、婚姻という人生の決断を否定したくない心情など、その理由は様々です。

でも、「苦しい日々を変わらず送り続ける人生」と「苦しい日々から逃れるためにアクションを起こした先の人生」と、最後に振り返ったときに、どちらがより自分らしい人生だったと感じるでしょうか？

幸福の概念はいろいろですが、自分らしく生きることができるという点は非常に重要なポイントだと思います。

もし、現状に息苦しさを感じるのであれば、ご自身の将来を思い描きながら、これから先をどのように生きるのがより自分らしい生き方なのかと考えてみてほしいのです。

変化を起こすことに不安はつきものです。

しかし、正しい知識を身につけ、適切に対処することができれば、多くの場合、その不安の大部分を払拭でき、勇気をもって前進できるはずです。

ここからは、勇気を出して変化に挑もうとされる方に向け、法的観点を踏まえた説明とアドバイスをしていきます。

「お前の勘違いだろ？」って言わせない！

離婚やモラハラに限らず、トラブルが起きた場合にまず問題となるのは「事実関係」です。

何度もくり返すとおり、特に家庭の中は外から見ることができません。その中でどのようなことが起こっていたのか、他人にはわかりません。

「家庭の中でいったい何が起こっていたか」

このような問題を法律家は「事実関係」と呼びます。客観的な出来事として何があったのかということです。

モラハラを原因とする離婚相談では、事実関係として、**モラハラの具体的な内容、モラハラが開始された時期や頻度、それによって生じた結果として特筆すべきものがあるか否か**（たとえば、精神を病んで心療内科に通院するようになった等）が聴取されます。

程度にもよりますが、モラハラは、法的に2つの権利を発生させます。それは、モラ夫に対する**「離婚請求権」**と**「慰謝料請求権」**です。

しかし、**「モラハラが存在した」という事実関係を立証する責任は、権利を主張する側、つまり被害者側が負うのが法律上のルール**です。

モラ夫がおとなしくハラスメント行為を認めてくれればよいですが、彼らの多くはそのようなしおらしい態度はとりません。

残念ですが、**「そんなことはやっていない」「妻のでっち上げ」「被害妄想だ」**などと自身に都合のいいことを言って、事実関係を争い、水掛け論に持ち込もうとするのが彼らの常套手段です。

モラハラの証拠を確保する

そこで重要となるのが証拠です。証拠とは、ある事実を立証するために用いる資料のことです。ハラスメント行為を証拠に残すことができれば、後になってモラ夫が事実関係を争ったり、言い逃れをすることができなくなります。

証拠は、裁判において決定的な意味を持ちますが、それ以上に、裁判に発展させずに事件を解決させる手段として大きな意味を持ちます。有効な証拠は、モラ夫に対し、争っても無駄であることや、裁判に至った際の結末を理解させる最大の材料となるからです。

このように、あなたが**モラハラ被害に遭っている場合、最初に考えるべきは、モラ夫によるハラスメント行為の証拠化**です。

モラハラの証拠になるもの

証拠としては、**モラハラ行為の録音・録画があれば一番ですが、あなたに対するモラ夫からのLINEやメールの中で暴言があれば、それも重要な証拠となります**。ぜひ、スクリーンショットを撮りましょう（モラ夫の送信日時がわかるようにスクリーンショットしてください）。

心療内科やカウンセラー、警察や配偶者暴力支援センター、自治体の女性相談センターに相談していれば、**診療記録や相談記録も重要な証拠となります。**相談記録が残っている際は、請求すれば記録を開示してもらうこともできます。

あなたが日記を付けていれば、記載内容や記載状況次第ではそれが証拠として価値を持つことがあります。ただし、日記は後から改ざんでき、主観による側面が多いため、証拠価値は一般に高くありません。できる限り、録音・録画など客観的な方法で証拠化を図ることが望ましいです。

モラハラ事案の場合、証拠が自動的に用意されることはまれです。基本的には、**自ら行動しない限り証拠を残すことはできません。**事実関係の水掛け論を回避し、モラ夫の不合理な反論の芽を摘むことが、納得のいく結論を導くうえで最重要となるのです。

「お前の勘違いだろ?」
モラ夫にこんなことを言わせないためにも、モラハラ行為はすべて証拠化しましょう。

「子どもは渡さないからな」って言わせない！

離婚する夫婦に未成年の子がいる場合、離婚と併せて子の親権者を定める必要があります。

今の法律では、離婚後の共同親権が認められておらず、父母のいずれか一方を単独親権者と定めなければならないからです（ただし、日本政府や国会の中では共同親権の可能性について活発な議論が続いています。将来的には一定の要件のもとで共同親権の制度が導入される見通しです）。

親権者は、原則的に父母の合意によって決められます。どちらもが親権を主張する場合、家庭裁判所が父母のどちらを親権者とするかを決めます。**判断の基準は、大まかにいえば、子の福祉（メリット）に照らし、**

父母のどちらが親権者となる方が子にとって望ましいかです。

家庭裁判所は、離婚以前の生活状況の中で虐待やネグレクトのような顕著な問題がない限り、子の**主監護者**、つまり衣食住の基本的な生活要素に関して実際に子の面倒を多くみていた側の親が親権者になることが子の福祉に適うと判断することが多いです。

モラ夫と子の親権を争う場合

モラ夫は、傾向的に支配欲・所有欲が強いため、子に対して少しでも愛情が残っている限り、**簡単には子の親権を譲りません。**

あるいは、**妻側を非難するため（子の将来を思う愛情深い父親を演出するため）のパフォーマンスとして親権を争ってくる**こともあります。

双方が親権を譲らない場合、協議による離婚はできなくなります。

親権者指定は原則として離婚と同時に行う必要があり、親権者指定を棚上げしたまま、離婚だけを先行させることは基本的にできません。

そのため、離婚請求訴訟の中で、裁判官が父母いずれを親権者とするかを決めることになります。

親権の争いにも証拠が重要

裁判では事実関係から争われることが多いです。

たとえば、**家事・育児などほとんどしていなかったにもかかわらず、大半を自分が行っていたと堂々と主張するモラ夫や、自らが主監護者であったと主張するモラ夫は数多くいます。**

家庭内での生活状況は第三者には見えないため、モラ夫が嘘をついた場合、「その主張が嘘である」ことを証明することは通常困難です。

唯一、それを可能とするのは、証拠です。

すでに説明したとおり、証拠は、後から準備しようと思ってできるものではありません。リアルタイムで記録していく必要があり、この証拠化の習慣がとても重要になってきます。

使える証拠とは？

親権に関する証拠の例としては、子育ての記録が挙げられます。

子育てノートを毎日付けていれば、それは有効な証拠となります。

また、**子どもたちの食事を手作りしているのであれば、これを毎日撮影して保存**しておくこともかなり有効です。食事の提供は監護者判断の中でも重要な意味を持つので、この証拠はかなり効いてきます。

ほかには、たまにでも構わないので、**子どもと一緒に遊んでいる様子を第三者に短い動画（30秒程度）で撮影してもらっておく**ことも重要です。母子の親和性を示すよい証拠となります。その際は、あなたと子どもが一緒に映るように撮ってもらうことが重要です。

モラ夫が嘘をつくかどうかはケースバイケースですが、事実関係の争いが生じた際に備え、何事も証拠化しておくことが大事です。

「生活費・養育費くらい自分で稼げよ」って言わせない！

婚姻費用とは？

離婚を考えた際、子どもがいる家庭で真っ先に気になるのは「**養育費**」だと思います。

養育費は、請求する側にとっても、される側にとっても関心の高い事柄です。一方、「**婚姻費用**」という言葉は、養育費と比べると馴染みが薄く、聞いたことのない方もいるかと思います。

「**婚姻費用**」**とは、簡単にいえば生活費のことです。**

婚姻費用と養育費は、両方とも親族間の扶養義務を根拠とするものですが、時系列的にみると、**離婚するまでの間の問題が**「**婚姻費用**」、**離婚後の問題が**「**養育費**」です。

婚姻費用は、別居によって2つに分かれた家計グループ（夫グループ、妻グループ）のうち、双方の収支を比較して、余裕がある方が余裕のない方に毎月定額の金銭を支払うものをいいます。

婚姻費用を請求できる側を権利者、支払わなければならない側を義務者といいます。

たとえば、夫婦の一方が未就労の子ども全員を連れて別居を開始した場合、子どもと同居する側（監護者）が権利者、子どもと離れて暮らす側（非監護者）が義務者となるケースが多いです。

ただし、監護者の収入が非常に高く、非監護者の収入が著しく低いような場合には、夫婦の扶養義務の観点から、通常とは逆に監護者が婚姻費用の義務者（非監護者が権利者）となるケースもあります。

婚姻費用として、どちらがどちらに対していくら請求できるかは、双方で合意できれば合意した金額になります。

他方、合意がまとまらない際は、家庭裁判所の審判を通して、双方の収入をもとに裁判官に判断してもらうことができます。

その際、家庭裁判所は、「**標準算定方式**」と呼ばれる基準に沿うのが通例で、特殊な事情がない限り、その基準に近い判断が下されることが多いです。

養育費とは

養育費は、離婚後に非監護者が子どもに対して負っている扶養義務にもとづくものです。具体的には、**毎月一定額の金銭を監護者に対して支払う義務**を負います。

一緒に暮らして子の面倒をみていなくとも、子どもが生きていくために生活費が必要となる以上、その生活費については父母双方が互いの収入に応じて負担すべきと考えられているからです。

現代社会の実情に照らせば、女性側が監護者となるケースが多いため、妻側が養育費の権利者、夫側が義務者となるのが通常です。

養育費の金額は、婚姻費用と同じく、当事者が合意できればその金額となります。合意がまとまらない場合でも、当事者が希望すれば、家庭裁判所の審判、もしくは訴訟の判決を通じて判断してもらうことができます。

金額も、婚姻費用と同様「標準算定方式」に従った金額とされるのが通例です。

モラ夫が支払いを拒んだら？

独自の論理で物事を考えがちなモラ夫は、勝手な判断で婚姻費用や養育費の支払いを拒むことが少なくありません。そのような場合でも、審判や訴訟を通じて裁判所から支払命令を出してもらうことができます。

それでもモラ夫が命令に応じない場合には、強制執行によって文字どおり支払いを強制することができます。

「自分たちの生活費くらい自分で稼げよ」

そんなモラ夫の論理は、法律の世界では通用しないのです。

「俺が稼いだ金は渡さないからな」って言わせない！

離婚する際に一般的に問題となるものとして「**財産分与**」があります。

「**財産分与**」とは、**夫婦の共有財産を分割する手続きのことです**。婚前契約によって「財産分与を行わない」という特殊な合意がされていない限り、婚姻期間中の財産は、**特有財産**（婚姻前から所有していた財産や相続した遺産など、夫婦の協力と無関係に形成された財産のこと）を除いて、名義がどちらにあるかにかかわらず、すべて**夫婦共有財産**と推定されます。

そのため、夫婦としての貯蓄をすべて夫名義の預金口座で行っていたような場合でも、**妻は夫に対し、その預金に対して応分の割合**（**原則として2分の1**）**を支払うよう請求することができます**。

なお、夫婦共有財産の資産総額が平均的な家庭の貯蓄を上回るくらい多額な場合で、その資産を形成できた理由が夫婦のどちらかが婚前に取得した資格によっていたり、夫婦のどちらかの特殊な才覚によるケースでは、「特段の事情あり」として、財産分与の割合に傾斜がかけられることもあります。

しかし、そのような多額の資産形成に成功していなければ、資格や才覚の有無にかかわらず原則どおり2分の1ルールを適用するのが裁判所の基本的な考え方です。

「俺が稼いだ金は絶対渡さない」
モラ夫の中には、本気でそう考えている人が少なくないですが、そんな理屈は裁判所では通用しません。

考えを改めていただきたいところですが、それでもわからないようであれば、やはり、法的措置によって強制的に支払ってもらうほかありませんね。

「俺が何したっていうわけ？」って言わせない！

婚姻関係が破綻した原因が夫婦のどちらにもある場合は、離婚に際して「**慰謝料**」が問題となることはありません。

しかし、**離婚の原因が夫婦の一方による不貞や、この本で問題とする「モラハラ」にある場合、加害者は「有責配偶者」として、被害者に対して慰謝料を支払う義務を負います。**

もっとも、「**モラハラ」の場合、具体的にどこからが違法かというのが、法律上決まっているわけではなく、主観的な捉え方でも差が生じやすい**面があります。

そのため、単なる夫婦ゲンカの域を超えて、加害者側の行為が、被害者の権利を法律的にみても明確に侵害したといえる程度に、客観的かつ顕著なものである必要があります。

実際に慰謝料を請求するためには、**モラハラの具体的なありようを指摘でき、かつ、これを客観的に立証できる**ことが重要なポイントになるのです。

具体的にどの程度まで達すれば、裁判所がモラ夫の法的責任を認めるかはとても難しい問題で、最高裁判例もないため、担当裁判官によって結論もまちまちです。

この点については、離婚問題を専門的に扱っている法律事務所に相談をして、弁護士に具体的な事情を伝えたうえで、見通しを尋ねることをおすすめします。

また、この本のコラムでもいくつかの裁判例を取り上げています。よろしければ参考にしてください。

身体の関係を頑なに拒否するモラ夫に対する慰謝料請求

東京地裁平成29年8月18日判決
判決要旨：モラ夫は、妻に対し、慰謝料50万円を支払え
婚姻期間：1年間（それとは別に婚前の同居期間：8か月間）

弁護士のコメント

事例としてはかなり珍しい事件です。

モラハラ事例として、数の面で多いのは、モラ夫の側が嫌がる妻に対して性交渉を強要するというケースです。このケースは、それとは逆で、夫の側が頑なに妻との性交渉を拒むというケースであり、事例としてはかなり珍しい部類といえるでしょう。

「タイプ7 性交渉を強要してくるモラ夫」(P38)でも取り上げたとおり、性交渉に応じるか否かはあくまでも本人の意思の問題であり、たとえ夫婦といえども性交渉を強要することはできません。

この判決も、夫が性交渉に応じなかったことのみを理由に賠償命令を下したわけではありません。

判決では、この夫が不安感にさいなまれる妻の心情を認識していた点に注目し、**性交渉そのものはなくとも、せめてキスや抱擁などの身体的接触、あるいは言葉として愛情を伝えることで夫婦の精神的結合を深めることはできたはずなのに、それすらも行っていなかったことが婚姻関係を破綻させた原因であり、夫の行動には不法行為が成立すると評価せざるを得ない**と示されています。

暴言やモノの破壊といった激しい行動だけでなく、身体的接触を頑なに拒み、愛情表現を一切示さないという消極的な態度にとどまる場合であっても、それが妻の気持ちを著しく傷つけ婚姻関係を破綻させた以上、法的責任を生じさせるということを示した貴重な裁判例といえます。

第4章

モラハラ離婚のステップは？

モラハラで離婚するときのステップ

離婚とは、法律的にいうと、「婚姻契約を解消する行為」のことをいいます。

「**婚姻**」とは、夫婦関係を形成する法律上の契約のことで、互いが婚姻意思を持って婚姻届を市区町村に提出した時点で成立します。

婚姻することによって、夫婦は同一戸籍に入って、どちらかの姓を名乗ることになり、互いに扶養義務を負い、どちらかが死亡した際は配偶者として相続権を得ます。

離婚は、こうした地位を失うとともに、財産分与や年金分割等の新たな権利を発生させる行為です。

身近な出来事であるため簡単に考えられがちですが、**離婚は、このように様々な権利や義務の塊のような法律行為ですので、入念に準備してから行うべきです。**

実際に離婚を考えたら、どんなステップを踏むべきなのでしょうか。

大まかな手続きの流れとしては、次のようなものをおすすめします。

1　法律の専門家に相談する
↓
2　別居に向けて準備する
↓
3　別居／婚姻費用の請求／離婚協議の開始
↓
4　協議／調停／訴訟
↓
5　離婚届の提出
↓
6　年金分割の請求

この章では、この流れに沿って、それぞれの手続きの概要を説明します。

法律の専門家に相談する

離婚を考えたら、まず、何を置いても専門家に相談しましょう。

相談先は、離婚事件を得意とする弁護士の在籍する法律事務所が間違いないですが、近くにそうした弁護士がいなければ、まずは最寄りの法律事務所に相談するだけでもいいと思います。

私たちもそうですが、最近では、居住地にかかわらず電話やオンライン会議システムを利用して無料法律相談に応じる法律事務所が増えています。それらを利用するのもひとつです。

専門家への相談が早ければ早いほど、離婚に向けた適切な準備を行う猶予が生まれます。離婚は、準備がとても重要なのです。

相談する時点で離婚することを決めていなくても気にする必要はありません。相談後に気が変われば離婚しなければよいだけです。誰もそれをとがめたりはしません。

現状の夫婦関係に悩み、わずかでも関係解消の選択肢を考えているのであれば、少しでも早く法律相談をして、ご自身の権利に関する知識を増やすことをおすすめします。

法律事務所に行ったら、現在の状況を弁護士に説明し、夫婦関係の悩みを伝えたうえで、今後どのように行動すべきかのアドバイスを求めてください。

離婚の可能性があるのであれば、次の3点を確認することが初動として特に重要です。

1 離婚に合わせて配偶者との間でとり決めるべきこと

一般論として、（1）**親権**、（2）**養育費**、（3）**財産分与**、（4）**年金分割**、（5）**面会交流**に関する内容が約定されることが多いです。

また、モラハラが離婚の原因のときは、婚姻関係を破綻させた責任がモラ夫に一方的にあると認められる可能性が十分に見込めます。

そのため、**(6) 慰謝料**についても相談すべきでしょう。

2 別居前に準備すべきこと

2は、「モラハラ離婚のステップ②」で詳しく説明します。

そこでの記載を踏まえ、個別の疑問や不安を弁護士に伝え、具体的なアドバイスを求めてください。特に子どもを連れての別居を考える際は、事前の弁護士への相談が重要になります。

3 別居後の生活費の確保

加害者側に請求できる婚姻費用の目安が重要です。

婚姻費用の金額は、双方の収入をベースに算定しますが、個別の事情によって増減できる場合があるため、生活状況を詳しく弁護士に伝えましょう。

また、**子どもがいる家庭では、市区町村から児童手当が支給されているケースがあります。**

児童手当は、夫婦が同居する場合、夫婦のうち「生計を維持する程度の高い者」（つまり、所得が高い方）に支給されますが、夫婦が別居して生計が分かれた後は、夫婦のうち子と同居してその監護を行う側が支給を受ける権利をもちます（児童手当法より）。

「夫婦の別居」「子との同居」「夫婦間の生計分離」といった事実の確認方法としては、住民票の異動届（転居・転出入届）で夫婦間の別居や子との同居の事実を認定し、離婚調停申立書（写し）や、代理人弁護士作成による離婚協議の申入書（写し）を提出させることで、夫婦間の生計分離を認定する自治体が多いようです。

別居に向けて準備する

離婚協議を行う場合、前段階の行動として別居が行われることが多いです。

別居した場合、法律上の婚姻関係は継続していますが、物理的な意味では離婚に近い状態になります。モラハラ被害を受けている方の心は、この時点でかなり楽になることが多いです。

住居の確保

別居を計画したら、まず別居先となる住居の確保が最優先です。

実家が近く、その協力が得られるようであれば実家に移り住むことが有力な選択肢です。

実家に居住できない場合には、賃貸住宅等を見つける必要があります。保証人の要否や敷金・礼金などの初期費用を確認しましょう。

モラ夫がつきまといに走る可能性がある際は、セキュリティ面の設備に配慮し

た住宅選びも重要となります。

子どもがいる場合

子どもがいる場合には、夫婦が別居した後の子どもの状況を考える必要があります。

別居を行う側が従前子どもの養育監護を主として担っていた場合（このような親を「主監護者」と呼びます）、別居後もその親が子どもと暮らすことが望ましいというのが通常の考え方です。

ただし、たとえあなたが主監護者であったとしても、**子どもを連れた別居は、夫側に大きな精神的ダメージを与える可能性があり、子どもの心情にも多大な影響を及ぼします。夫側に告げずに子どもを連れて別居することをお考えの方は、事前に、離婚に詳しい弁護士に相談されることをおすすめします。**

なお、子どもが小学生以上である場合、すでに一定の社会性を身につけています。転校は子どもにとっても大きな心理的負担となるため、可能であれば転校を伴わない形での別居の実現が望ましいでしょう。

別居を行った後、モラ夫が、子どもの通う幼稚園・保育園や学校に問い合わせたり、待ち伏せして子どもをさらったりすることも考えられます。不測の事態を避けるため、別居を行う前にこれらの関係機関には事情を説明しておくことが望ましいです。

身の危険を感じる場合には、警察に相談しておくことも有効です。必要があれば、弁護士の助力も得て、関係先に丁寧な説明を行うことを心がけてください。

同居中に証拠を押さえておく

同居中に行っておくべき重要な事柄のもう一つが、証拠を押さえておくことです。

別居後は、夫側の情報へのアクセスが制限されるため、証拠の収集方法が限られてしまいます。

この点で特に問題となるのが、「**モラハラ行為**」と「**財産分与**」の2つです。

モラハラ行為の証拠を押さえる

先に述べたとおり、モラハラ事案では、そもそもモラハラ行為を行ったか否かという事実関係の点から争いになることが多いです。

モラ夫は嘘をつくことがありますし、嘘をつくつもりがなかったとしても都合の悪いことを忘れていたり、そもそも罪の意識がなく問題を矮小化して語ることが多いからです。

モラハラ行為の立証には、録音・録画等の客観的な記録を残すことが有効です。

モラ夫が暴言を吐いているようであればその様子を録音する必要がありますし、感情に任せてモノを投げているのであればその状況をこっそりと動画撮影したり、壁を蹴って穴をあけたり家具を殴って破壊するような場合にはその被害状況を撮影することによって、後々の主張の裏付け証拠を作ることができます。

これらの記録活動は、別居してから行うことはできません。つらいかもしれませんが、こうした記録活動を同居期間中に行い、十分な証拠を集めたうえで別居を行うべきといえます。

財産分与に関係する証拠を押さえる

次に、**財産分与についても同居中の証拠収集がとても重要になります。**

夫婦といえども、夫名義の財産にどのようなものがあるのか、そのすべてを把握できていないケースは多いからです。

現金・預貯金・投資信託・株式・社債・国債・その他の債権・外国通貨・保険・高価な貴金属・不動産・車・船舶・ゴルフ会員権・年金基金など、財産の種類は豊富です。

たとえば、預金一つをとっても複数の銀行に分けて保有されていたり、一つの銀行に複数の預金口座があったり、普通預金のほかに定期や貯蓄など種別の異なる預金が存在したりと多様なあり方が考えられます。

こうした財産は、同居中であれば比較的簡単に調べることができますが、別居した後は、個人情報の壁にぶつかり、自由に調査することができなくなります。**夫名義の財産について何の手がかりもない状況で別居を始めると、相手が重要な財産を隠していた場合でも、それを暴くことが困難**となります。

一方、たとえば同居中に夫名義の預金通帳等をスマホで写真に収めておけば、相手方が「○○銀行の預金などない」と虚偽の主張を行ったとしても、その通帳を示すことで相手方の主張を弾劾（虚偽であることを証明すること）できます。

そこに資産が隠されていることさえわかれば、モラ夫が財産開示に応じない場合でも、裁判所の協力を得て裁判所から金融機関にモラ夫名義の資産情報を開示するよう照会してもらうこともできます。

多くの金融機関は、裁判所からの嘱託であれば、情報開示に応じますので、これは強力な対抗手段となります。

ただし、裁判所が協力してくれるためには何かしらの手がかりが必要となります。手がかりなしの当てずっぽうの探索には、裁判所も協力してくれないのが通常です。

事実関係に関する証拠の大切さ

くり返しとなりますが、離婚では、法律論の前に「事実関係」（やった・やっていないの議論）で争いとなることが少なくありません。

人は、相手が証拠を持っていないと判断すると、自らに有利になるように嘘をつく傾向があります。

嘘でなくとも解釈や表現に差異が生じることは常です。

たとえば、「大声で怒鳴った」という主張と「通常の声で注意しただけ」というようなニュアンスの違う主張を互いが行う状況は、簡単に想像がつくと思います。

こうした事実関係の問題に決着をつけることができるのは証拠だけです。真実に即し、納得のいく解決を実現するには、別居前にある程度の準備を行うことがとても大事です。

しかし、証拠の収集活動は手間や時間、費用、何よりも多大な気苦労を伴うものでもあります。どの程度まで行うべきかについても事前に専門家と相談することが望ましいです。

こうした細々とした相談に対し、どのように対応するかは個々の弁護士の性格や仕事に対する姿勢によっても変わってきます。目の前にいる弁護士が信用するに足るか否かを判断するうえでも、そういった具体的な質問を投げかけ、どこまで親身になって一緒に考えてくれるかを見るとよいでしょう。

別居／婚姻費用の請求／離婚協議の開始

別居を決行する

十分に準備を整えたら、いざ別居の決行です。

別居の際、事前に別居することを伝えると、スムーズに別居できなくなる可能性があります。

モラ夫は被害者への執着や支配欲が強いため、別居すること自体を認めない場合が多く、離婚以前に別居の時点で深刻なトラブルに陥る危険性もあります。

実際の別居事情をみても、相手方の不在時を転居日として計画し、引っ越し業者等を通じ、夫に気づかれることなく自身が使用していた家財道具類をもって別居を実現することが多いです。

モラ夫は、配偶者がいなくなったことに気がつくとパニックに陥り、予想外の行動に出ることがあります。

別居の事実とその趣旨を伝えるためにも、**別居と同時に置き手紙をするか、代理人弁護士をつけている場合は、別居と同時に弁護士から離婚協議を申し入れる通知書が相手方に届くよう事前に段取りしておくとよいでしょう。**

別居の間の資金を確保する

婚姻費用は金額が争いになったり、モラ夫の嫌がらせによってしばらくの間支払ってもらえない可能性があります。

このような事態に備え、当面の生活費を事前に準備したうえで別居を開始した方が得策です。

夫婦の財産の大半を夫が有しており、妻側に自由に使える財産がまったくないような事案では、夫名義の預金を引き出せるのであれば、当面の生活費を引き出したうえで別居を行うことも考えられます。

モラ夫の怒りを買う可能性はありますが、**夫の預金の実情が夫婦共有財産である限り、その行為をもって特に違法としないのが裁判所の基本的な考え方です。**

生活を行っていくうえで一定の金銭は必要であり、また、別居直前に夫名義の預金を引き出した額を加味したうえで財産分与を行うことで事後的に清算することが可能だからです。

婚姻費用を請求する

モラ夫が婚姻費用の支払いを拒む場合は、家庭裁判所に対して速やかに「**婚姻費用分担調停**」を申し立てる必要があります。

調停を申し立てると、調停が成立した金額、あるいは、審判で定められた金額をモラ夫に支払わせることができますが、未払いの婚姻費用については具体的に請求を行ったときが起算点となります。

起算点より後の未払い分はさかのぼって支払わせることができますが、それ以前のものをその調停・審判手続の中で請求してもそれが認められる可能性はとても低いです。

そのため、**別居後は、速やかに婚姻費用分担調停を申し立てるか、少なくとも内容証明郵便等の証明力の高い手段を用いてモラ夫に対して婚姻費用の請求を行ってください。**

これらの手段をとることで、事後的ではあっても別居当初までさかのぼって全額の婚姻費用の支払いを得ることができるようになります。

代理人を立てている場合、原則として、別居後にモラ夫と連絡をとる必要はありません。用件は、代理人を通じてやりとりすることとなります。

着信拒否やLINEブロック等をして、モラ夫との直接の連絡手段を遮断し、自らに対する連絡のすべては代理人を通すように、モラ夫に申し入れることも可能です。

協議／調停／訴訟

離婚条件の定め方には、いくつかの手続きがありますが、大きく分けると裁判所を介入させる手続きと、介入させない手続きの2つです。

裁判所を介入させない場合、本人どうし、あるいは弁護士を代理人につけて、モラ夫と「**協議**」を行うことで離婚条件の合意を目指すことになります。

裁判所を介入させる場合、手続きはさらに2つに分かれます。「**調停**」という裁判所の中で話し合いをして解決を目指す手続きと、話し合いではなく裁判官の判断で決着をつける「**訴訟**」の2つです。

まずは協議から

通常は、まず、協議での解決を目指します。多くの弁護士もいきなり法的手続は利用せず、まず協議から入ります。

その方が手続的に迅速で、業務負担が少ないことから弁護士費用を抑えることができ、クライアントにとっても経済的だからです。

モラ夫に対して話し合いでの解決を申し入れ、相手方がそれに同意し、資料開示についても協力し、双方の認識の差異が小さい場合には、交渉を詰めることで合意に結びつけます。


一方、双方の認識の差異が大きい場合や主張が真っ向から対立する場合、あるいはモラ夫が感情的または理解不能な発言に終始し、およそ話し合いができる状況にない場合には、協議での解決は事実上困難です。

このような場合、協議を継続してもいたずらに時間を浪費するだけで解決に向かわないため、速やかに裁判所を介入させて事態の収拾にあたります。

もっとも、今の法律では、いきなり離婚訴訟を提起することが原則的に禁止されています。

そのため、まずは調停での解決を目指すことになります。

調停でも解決不能と認められた場合に、初めて訴訟を提起することになります。

調停に進んだら

調停では、中立て後1月～2月程度ごとに期日が開かれ、裁判所の中で調停委員会を介して話し合いが行われます。

調停委員会は、裁判官1名と調停委員2名によって構成されますが、通常、裁判官は調停室に入室せず、直接話をするのは調停委員の2名のみとなります。

調停委員は、40歳以上70歳未満の男女1名ずつが選ばれます。

調停委員会は、中立の第三者として双方の言い分を取り次ぎながら、ときとして調停委員会としての見解も示しつつ、話し合いでの解決ができないか模索します。

この手続きのメリットは、

① 第三者の仲介により**相手方と直接顔を合わせずに議論できる**こと、

② 合意が形成されたときは「調停調書」と呼ばれる**判決同様の法的効力を有**

する書面で合意内容を記録できること、

③　調停調書の文言の選定次第で「債務名義」と呼ばれる**強制執行の根拠を取得することができる**こと

です。

また、婚姻費用に関しては、調停が不成立の場合、自動的に「審判」という手続きに移行し、最終的な結論を裁判所に下してもらえる点もメリットです。

一方、離婚の場合、調停が不成立になったとしても審判移行はありません。調停が不成立となった後は、離婚を求める側が、訴訟を提起するか否かを判断することになります。

一方、**調停のデメリットは、手続きが遅いことです**。

先ほどのとおり、調停の進行は、1月〜2月に1度程度という非常に歩みの遅いものです。

それだけの時間をかけても合意に至ることが確約されません。

離婚調停に1年以上の時間を費やしても合意に至れず訴訟に発展する場合、その間の時間が無駄となるケースもあります。

調停に関する裁判所の管轄は、申立ての相手方（妻が調停を申し立てる場合、相手方は夫）の住所地を管轄する家庭裁判所となります。

遠方に居住する場合、最寄りの家庭裁判所の電話会議システムを利用しながら遠隔で出頭することもできますし、代理人弁護士が就いている場合、その法律事務所から電話会議で出頭することもできます（現在、WEB会議という新たなシステムを用いての調停利用が段階的に始まっています）。

調停離婚を行う場合、正確な意思確認のため本人自身の出頭が求められます。弁護士を代理人に立てている場合、通常の期日は代理人だけが出頭すれば手続きを進めることができるのが実情ですが、離婚を成立させる期日だけは本人出頭が、原則的に必要となります。

モラ夫が離婚を拒んだら訴訟へ

最後に、**訴訟とはいわゆる「裁判」手続です。**

一方が離婚を強く求め、他方がこれを強く拒んで譲らない場合、訴訟によってしか問題を解決することはできません。

手続きは、当事者どちらかの居住地を管轄する家庭裁判所で行われます。

調停と異なり、原告（訴訟を申し立てる側）の住所地管轄裁判所でも手続きを行うことができます。

離婚訴訟の中では、養育費の支払いや財産分与の支払い、年金分割についても求めることができます。

また、**慰謝料についても離婚と併せて請求することが可能**です。

一審の判決に不服があれば、高等裁判所に控訴することが当事者双方に認められています。

高等裁判所の判決に不服がある場合も同様に、最高裁判所に上告することが可能です。

ただし、最高裁判所に関しては、上告理由が制限されており、多くの場合、実質判断を得ることができないまま事件が終結します。最高裁で実質審理されるケースは非常に少ないです。

訴訟における離婚の判断ポイント

離婚訴訟では、民法770条1項という条文に定められた、次の5つの離婚原因のいずれかが存在するかどうかが審理されます。

① 配偶者に不貞な行為があったとき

② 配偶者から悪意で遺棄されたとき

③ 配偶者の生死が3年以上明らかでないとき

④ 配偶者が強度の精神病にかかり、回復の見込みがないとき

⑤ その他婚姻を継続し難い重大な事由があるとき

原告側はこれらが存在するとしてその根拠を主張し、被告側はこれらが存在しないと主張して争うのです。

モラハラを理由にして離婚請求するケースでは、通常、「⑤その他婚姻を継続し難い重大な事由があるとき」が問題となります。

モラハラ行為による婚姻関係の破綻が、「その他婚姻を継続し難い重大な事由」にあたるとして主張するのです。

このようなモラハラ行為が認められる場合、通常は、婚姻関係破綻に対して、モラ夫側に一方的な責任があると判断されます。

そのため、**離婚だけではなく、慰謝料の請求も併せて行っておく**ことが重要となります。

その他、**養育費・財産分与等についても争いがあれば審理の対象となります。**

離婚届の提出

離婚届を市区町村に提出する

協議や調停を通じて離婚の合意が得られたり、あるいは、訴訟を通じて離婚判決が出たり、裁判上の和解が成立したら、**離婚届を市区町村に提出する**ことになります。

離婚届は、本籍地の市区町村に届け出るのが原則ですが、「**戸籍全部事項証明書**」と併せて提出すれば、日本全国どこの市区町村に対しても届出ができます。

協議で離婚が決まった場合

協議の場合、離婚条件をまとめた離婚協議書（離婚給付等契約書）の作成をおすすめしますが、これだけでは法律上有効に離婚したことにはなりません。

裁判所が関与しない手続きでの離婚では、あくまで離婚届が市区町村に提出されて初めて有効な離婚となります。

そのため、離婚協議書を作成した後、**モラ夫が気変わりして、離婚を拒否した場合には、その後も法的な婚姻関係が続いてしまいます。**

調停や訴訟で離婚が決まった場合

一方、**離婚調停が成立した場合や、離婚訴訟において離婚請求を認める判決が確定した場合など裁判所が関与する手続きで離婚した場合は、その時点で法律上有効に離婚が成立します。**

もっとも、この場合でも離婚の事実を戸籍に反映させるため、離婚したことを証明する資料（「調停調書抄本」「和解調書抄本」、あるいは「判決抄本」および「確定証明書」）と離婚届を市区町村に提出する必要があります。

この義務を怠ったとしても離婚の効果が覆ることはありませんが、裁判所関与の手続きで離婚が成立した場合、その当日から10日以内に離婚届を出さなければ、5万円以下の過料（簡単にいうと罰金みたいなもの）に処されることがあります。

この届出義務は、離婚を求めた側、つまり、調停離婚の場合は調停申立人、裁判離婚（訴訟による離婚）では原告が負うのが原則です。

もっとも、調停・和解など当事者の合意によって離婚した場合は、調停調書や和解調書に「相手方（被告）の申し出によって」という文言を追加することで、届出義務を転換することも可能です。

裁判所関与の手続きによる離婚後の離婚届には、モラ夫の署名や証人2名の署名は不要になります。

戸籍の手続き

離婚届が提出されると、次は戸籍の手続きをしていきます。

夫婦のうち戸籍筆頭者でない側の配偶者は、離婚によって復籍するのが原則です。したがって、「氏」（名字）は、婚前のものに戻ります（「復氏」といいます）。

ただし、離婚成立から3月以内であれば、**「離婚の際に称していた氏を称する届」**を市区町村に提出することによって、婚姻当時の名字を続けて名乗ることが可能です。この場合、婚姻当時の氏による新戸籍が作られることになります。

子の戸籍の手続き

夫婦の離婚は、子の戸籍関係に直接的な影響を与えません。

たとえば、戸籍筆頭者でない妻が子の親権者となった場合でも、何もしなければ子はモラ夫の戸籍に残ったままとなります。

妻の戸籍に子どもたちを移すためには、家庭裁判所に対して**「子の氏の変更許可申立」**を行う必要があります。

これは、妻が婚姻当時の名字を続けて使うことにした場合でも必要です。それによって作成された新戸籍はあくまでも婚姻当時の戸籍とは別の戸籍であり、当該戸籍の漢字表記や読み方が同一であっても戸籍を移転させるということは、「氏」の変更に違いないからです。

なお、旧姓に戻る場合であっても、子どもを同じ戸籍に入れるには、復籍でなく新戸籍の編製を選択する必要があります。

年金分割の請求

離婚条件の中で「年金分割」が問題になることも多いです。

年金分割とは、婚姻期間中に蓄積された厚生年金保険料の納付記録（標準報酬）を夫婦間で公平に分割するための手続きです。

厚生年金は、公的保険の一種で、払込期間中に支払った厚生年金保険料の金額に応じて将来受給できる厚生年金額が変動します。

厚生年金保険料は、将来の厚生年金の原資のような性質を持つもので、月々の給与の中から源泉して強制的に納付されています。

この厚生年金保険料の金額は、給与所得額に比例して高額となるように法令で定められており、夫婦が共働きで、かつ、ともに給与所得者として厚生年金保険料を支払っている場合でも、夫婦間に収入格差がある限り、その蓄積額に差が生じます。

あるいは、専業主婦のように妻に給与所得がない場合、または、あったとしても所得額が130万円未満の場合、「被扶養者」として厚生年金保険料の納付義務を負いません。

そのため、婚姻期間が長くなると、厚生年金保険料の納付記録（標準報酬）の額に夫婦間で顕著な差が生じます。

年金分割は、こうした婚姻期間中の厚生年金保険料の納付記録の差をならす手続きです。

年金分割の方法には、①**合意分割**と呼ばれるものと、②**3号分割**と呼ばれるものの2つがあります。

合意分割

合意分割は、当事者の合意、または、裁判手続によって定めた按分割合で標準報酬を按分する方法です。

3号分割

3号分割は、合意分割よりも遅れて、新たにできた制度です。

3号分割の「3号」とは国民年金加入者のうち、「第3号被保険者」が請求できる手続きであることを意味しています。

第3号被保険者とは、第2号被保険者（サラリーマンや公務員などの厚生年金に加入している給与所得者のこと）に扶養されている配偶者を指します。

婚姻期間中、第3号被保険者であった期間がある方は、配偶者との合意や裁判手続を必要とせず、離婚後は単独で年金事務所に行って年金分割の請求を行うことができます。

ただし、3号分割が請求できるのは平成20年4月1日以後で、かつ、第3号被保険者である期間に限られます。

婚姻期間中に一部でも厚生年金の扶養に入っていなかった時期があった場合、その期間は3号分割では年金分割を実現できません。

扶養に入っていない期間が長いケース、あるいは、平成20年3月31日以前の被扶養期間が長いケースでは、原則どおり合意分割を検討した方がよいでしょう。

なお、年金分割を請求できる期間は、合意分割・3号分割ともに離婚成立日の翌日から2年間となります。

この期間を超えると分割請求できなくなるので、注意が必要です。

夫を敬えと豪語してはばからないモラ夫に対する慰謝料請求

男たるもの外で働き！
妻子たるもの、夫に従うべき!!
メシが冷めてる!!
うるさい!!
ヒリヒリ
結婚8年目
酔った夫が不祥事を起こす……
このお金で許して下さい…
結婚11年目
公務員として働き始めた妻
民間とは疲れの質がちがうんだよ
結婚28年後
誰の金で養ってもらってると思ってんだ!!!
言うこと聞かないなら、出てけ!!
耐え切れなくなった妻は別居。離婚と共に慰謝料を請求

東京地裁平成17年11月11日判決
判決要旨：モラ夫は、妻に対し、慰謝料200万円を支払え
婚姻期間：36年7か月間

弁護士のコメント

時代錯誤の男尊女卑の価値観を持ったモラ夫の典型例といえるでしょう。

怪我を伴うような顕著な暴力はなかったようですが、モラ夫の高圧的な態度に対し、裁判所が法的責任を認めた事例です。

判決は、「夫は、妻や子どもら家族について対等な人格をほとんど認めず、家族に対して明確な上下関係、主従の関係を強いてきたものであり、これが夫婦間の婚姻関係の破綻を招いた主たる要因になったと認められる…これにより妻あるいは母親としての自己実現及び家庭での静謐《せいひつ》な生活の実現等が妨げられたといえるから、夫の婚姻期間中の妻に対する対応は、単に道義的な非難を越え、不法行為を構成する」と述べています。

もっとも、慰謝料の金額の判断については、「重篤な障害を与えるほどの暴力行為をなしたとまでは認めるに足りず、また、夫について不貞行為に及んだなど婚姻関係の破綻について一方的かつ重大な有責性を肯定できる事情も窺われない」と述べ、婚姻期間に比較すれば低額と思える慰謝料額を示しました。

これは、モラハラによる精神的虐待を、暴行や不貞行為と比較して軽くみる判断であり、私たちからみれば、画竜点睛を欠く判決であったと感じざるを得ません。

第5章

モラハラ離婚後のトラブル

「定期的に払える金なんてないんだけど」と言われたら？

ここからは、離婚した後に発生する可能性が高いいくつかのトラブル例とその対処法について触れます。

実際には、いかにモラ夫といえども、離婚後にまでトラブルを起こす例は少ないです。

しかし、モラ夫の中には非常に粘着質な人物がいて、離婚した後でも様々なトラブルを巻き起こすことがあるのも事実です。

離婚後に生じる問題として心配される事柄の一つが、養育費の不払いです。

毎月いくらいくら支払うと約束しても、この約束が今後長期的に守られるという保証はありません。

そのため、養育費の不払いは、離婚後の重大な不安要素となります。

夫が養育費を支払わない場合、まずは、支払いを督促する必要があります。

養育費について、裁判所の手続き（調停・審判など）でのとり決めがある場合、裁判所が夫に支払いを促す「**履行勧告**」という制度を利用することもできます。

このように**督促しても夫が任意に支払いをしない場合、つまり「債務不履行」状態のモラ夫に対しては、強制執行を行う**ことが考えられます。

強制執行とは、文字どおり、強制的に債務者の財産を差し押さえ、そこから債権を回収する手段です。

養育費の場合、法律の規定で、ほかの債権と比較して手厚い保護が与えられています。

たとえば、夫の給与債権を対象とする場合、通常は手取り額の4分の1までしか差し押さえられないものが、**養育費の場合は、2分の1まで差し押さえることができます。**

また、**養育費を回収するために給与債権を差し押さえた場合、毎月毎月差押えの手続きをとることなく、一度の手続きで将来分の給与債権に対してまで、差押えの効力が発生します。**

また、差し押さえた後は、夫の勤め先が、夫の手取給与から養育費分を控除し、毎月、妻に対してお金を振り込んで支払ってくれます（ただし、振込手数料は控除されます）。

もっとも、強制執行はどのような場合でもできるわけではなく、「債務名義」と呼ばれる文書の正本が必要となります。

養育費に関しては、「執行認諾文言付きの公正証書」「調停調書」「審判書」「裁判上の和解調書」「確定判決」等が債務名義にあたります。

一方で、**私文書として作成された「離婚協議書」や「離婚給付等契約書」は、弁護士が作成したものも含めて、債務名義となりません。**

このような私文書は、契約内容を示した証拠に過ぎないのです。

そのため、**私文書で養育費額を定めた場合、裁判所に対して養育費の支払請求訴訟を提起して、請求を認容する「確定判決」を取得してからでなければ、強制執行を行うことができません。**

養育費義務者が将来的に養育費を支払わないおそれが少しでもあるのであれば、私文書での契約で終わらせず、公正証書や調停調書を作成して債務名義を獲得することをおすすめします。

つきまといの問題

「別れたくない……」とつきまとわれたら？

モラ夫は、妻に対して強い支配欲を持つ傾向があることは、くり返し述べてきました。

多くの場合、そのような関係は離婚によって清算されますが、なかには、異常な執着をみせ、離婚後も過去の配偶者に対して、つきまといを行うケースが存在します。

このようなつきまとい行為は、**目的や程度次第では、ストーカー規制法が定める「つきまとい等」にあたり、警察からの「警告」や「禁止命令」、あるいは刑事犯罪としての訴追の対象となります。**

したがって、少しでも身に危険を感じた際は、速やかに警察に相談すべきです。

また、モラハラの内容が暴力や脅迫を含み、そのことによって被害者側の生命・身体に重大な危害が及ぶおそれが大きいと認められる場合には、「配偶者からの暴力の防止及び被害者の保護等に関する法律」（いわゆるDV防止法）に従い、**「接近禁止命令」「電話等禁止命令」「子や親族等への接近禁止命令」**等の法的措置をとることもできます。

このような事情があれば、早急に弁護士に相談するべきでしょう。

一時的な避難場所に困った際は、民間シェルターの活用も考えられます。

民間シェルターは、暴力を受けた被害者が緊急一時的に避難できる民間団体によって運営されている施設です。

利用に興味があれば、まず内閣府が運営する「DV相談＋」（https://soudanplus.jp）に相談されるとよいでしょう。

「子どもに会わせろ」と言われたら？

離婚によって、夫婦は婚姻以前の関係、つまり他人どうしに戻ります。お互いのプライシーが独立し、私生活に介入する法的根拠を失います。当然、日常生活について一切関与しないで過ごすことができるようになるのですが、一つだけ例外があります。

それが「**子の面会交流**」です。

子の面会交流への協力は、子の福祉の尊重を目的とした問題であり、父母双方の義務と解するのが一般的な法律論です。

非監護者が、監護者に対して子の面会交流を申し入れてきた場合、原則として、監護者はこれに協力しなければなりません。

もっとも、面会交流のあり方は、各家庭や子の具体的な状況によって異なるのが通常で、裁判所としてもそうした個別事情を無視した画一的な面会交流を強制する姿勢はとりません。

そのため、**面会交流の時期・頻度・場所・時間帯・宿泊を認めるかどうか、旅行を許すか、子の受渡しの方法をどうするか等といった個別の態様は、当事者間の話し合いにより、都度とり決められるべき事柄とされています。**

面会交流は、離婚条件の一つとしてとり決められることが多いですが、離婚時には話し合われず、離婚後になって初めて一方から協議が申し入れられることもあります。

また、離婚時に合意された条件について、時の経過に伴い、当事者のいずれか一方から変更の申入れがされることもあります。

面会交流の態様について、当事者双方の希望が合わず、収拾がつかなくなった場合は、裁判所に対して「**面会交流調停**」を申し立てることも可能です。

面会交流調停では、家庭裁判所の調停委員会と家庭裁判所調査官を交えながら、どのような形式で面会交流を行うべきかが、ねばり強く話し合われることとなります。

しかし、それでも最後の最後まで話し合いがまとまらない場合は、担当裁判官が審判によって面会交流のあり方を決定することになります。

この審判に不服があれば、高等裁判所に対して即時抗告の申立てを行い、再び審査を求めることもできます。

面会交流審判の内容は、担当裁判官が定めることとなりますが、その命令の仕方によって、強制執行ができる場合とできない場合（命令違反があったとしても何の制裁も課すことができない場合）とがあります。

最高裁判例によれば、面会交流を行う時期、場所、子の受渡し方法等、面会交流に関して、監護者側がとらなければならない行動の内容が、具体的に特定されていない審判では、強制執行は認められないとされています。

なお、家庭裁判所の一般的な傾向としては、可能な限り面会交流を実施することが、長い目で見た際に子どもの利益になることが多い、という考えがあるように思います。

そのため、**子どもが父親と会いたがっていないと説明してもなかなか理解してもらえないことが少なくありません。**

こうした場合は、従前の父子関係についての経緯や子どもが父親と会いたがらない理由を具体的に説明し、裏付けとなる証拠があるのであれば、それを提出して丁寧に説得することが必要となります。

家庭裁判所は、最終的な判断に向け、調査官に子どもと面接させて子どもの意向を確認したり、その様子を観察して記録させたりします。

面会交流に対する子どもの反応を見極めるため、「**試行的面会交流**」といって調査官の立会いのもとで、試験的に面会交流を行わせる等、様々な方法で最終的な判断に向けた資料を集めます。

感情的に罵倒し続けてくるモラ夫に対する慰謝料請求

東京地裁令和元年9月10日判決
判決要旨:モラ夫は、妻に対し、慰謝料200万円を支払え
婚姻期間:0年4か月間

弁護士のコメント

婚姻期間わずか4か月間という事案です。

200万円という金額は、婚姻期間に比較すれば高額な慰謝料といえます。これは、モラ夫の行為態様があまりにも悪質なものであり、裁判官としても妻に対する同情を禁じえない面があったのだと思います。

マンガで取り上げた暴言は実際の暴言のほんの一部に過ぎず、このようなやりとりが家庭内で継続的に存在したと思うと、胸が苦しくなります。

200万円という金額は、原告である妻の請求額そのもので、裁判所は妻の請求を満額で認めたことになりますが、より高額な請求を行っていたとしても認められたのではないかとすら思います。

判決では、モラ夫の生々しい暴言が列挙されていますが、それは、多くの客観的証拠が存在したことによります。

証拠がなければ、このような生々しい多数の暴言がそのまま認定されることはまずありません。証拠の存在が妻の権利を守り、モラ夫に対する制裁を実現させたといっても過言ではないと思います。弁護士として証拠の重要さを改めて感じる判決でした。

なお、このケースでは、妻の職場の妻への態度について不満を持ったモラ夫が、妻に対し職場を訴えるためのアドバイスをくり返していたこともモラハラの一つと認定されています。妻の心情を無視した妻の私生活への強引な介入・強要と判断されたものと思われます。

第6章

モラハラ離婚のQ&A

「個人情報」を知られたくない

Q 別居後に、住所を知られたくないのですが……。

A 加害者に転居後の住所を知られないための方法として、「DV等支援措置」を市区町村に申し出る方法があります。

「DV等支援措置」は、**DV被害者保護の目的のため、行政がその被害者に関する住民票の閲覧や謄写を制限する制度**です。

支援措置が認められるためには、**①配偶者からの暴力、②ストーカー行為、③児童虐待**のいずれかについて、そのおそれがあることが必要です。

市区町村は、これらの要件が満たされるかどうかを判断するために、警察署・配偶者暴力支援センター等の意見が付記された「支援措置申出書」か、裁判所の

「保護命令決定書」、あるいはストーカー規制法に基づく警告などの書面の提出を求めます。

実際には、警察・配偶者暴力支援センター等の意見が付記された「支援措置申出書」が利用されることが多く、警察などの機関も緩やかに「住民票の閲覧制限が必要である」との意見を記載する傾向にあるといわれています。

「DV等支援措置」の措置期間は、原則1年間です。

その後も延長を望む場合は、新たにDV等支援措置の申立てを行う必要があります。

Q
調停や訴訟で、別居後の住所を書きたくないのですが……。

A
「秘匿申出」の利用や、実家ないし前住所を記載する方法があります。

知られたくない情報を特定し、裁判所に申し出ることにより、裁判所の「秘匿措置」を求めることができます。

申し出を受けた裁判所は、秘匿の必要性を判断して「秘匿措置」を行うか否かを決めます。

必ず秘匿措置が認められるわけではありませんが、実情はかなり緩やかに認められています。

もっとも、秘匿情報（秘匿措置が認められた情報）であっても、それが記載された提出物は裁判所の記録に綴られます。

相手方はこの記録を閲覧する権利がありますので、これを防ぐには秘匿措置の有無にかかわらず、秘匿情報が記載された書類を提出する際は、マスキング処理（たとえば墨消し）を施したうえで裁判所に出す必要があります。

住所の漏洩を完全に防ぐには、現住所とは異なる住所を記載せざるを得ません。よく利用されるのは、前住所や実家の住所の記載です。

関係のない住所を記載することもできなくはありませんが、登記手続や、将来、強制執行を行わなければならなくなった際に、住所の連続性が確認できず思わぬ不利益を被る事態に陥りかねませんので、すべきではありません。

また、現住所と異なる住所を申立書に記載する際は、送達場所として裁判所の書類が郵便で届く場所をほかに指定する必要があります。代理人弁護士がついている場合は、その法律事務所が送達場所として指定されるのが通常です。

前住所を記載する場合、代理人弁護士がついていれば問題ありませんが、ついていない場合、郵便局に転居届を行っていないケースや行っていても転送期間（届出日から1年間）が過ぎているケースでは、裁判所からの書類が届かなくなってしまうため注意が必要です。

「婚姻費用」はどうなるの？

Q 夫が、夫名義の口座で受給している児童手当をこちらに渡してくれた場合、それは婚姻費用の支払い（一部弁済）にあたるのでしょうか？

A あたりません。

児童手当は、子の扶養を目的とした行政上の給付です。もとより、子を養育監護する者に対して行政が直接支給すべきものであり、婚姻費用には関係しません。**夫が児童手当を渡してきた場合でも、それとは別に満額の婚姻費用を請求することができます。**

なお、児童手当で受給している金額は、「標準算定方式」に当てはめる双方の収入の中にも含めません。

Q

標準算定方式の金額だけじゃ、子どもの習い事代や学費を支払えない……。このような事情がある場合、婚姻費用の増額が認められるのでしょうか？

A

特別な事情があれば、義務者側に支払ってもらうこともできます。

家庭裁判所の実務では、婚姻費用の額は、基本的に「標準算定方式」と呼ばれる客観的な基準によって定められることがほとんどです。

標準算定方式は、簡易・迅速で全国的に公平な判断を実現するため、個別的な事情をある程度取り除いて運用することを前提に設計されています。

そのため、婚姻費用の金額を定める審判の現場でも、この基準を前提に金額が算定されます。

ただし、特殊な事情があれば、話は変わります。

たとえば、同居時に習わせていた習い事で、別居後もこれを継続するには通常の教育費を上回る支出が必要となり、標準算定方式の所定額以上の金額を負担させたとしても義務者が基本的な生活を維持することができる状況にある等の事情があれば、標準算定方式の算定額以上の婚姻費用の支払いを裁判所に認めさせることも可能でしょう。

Q

夫が住宅ローンを支払っている家に、別居後、私と子どもと住んでいる場合、住宅ローン相当額が婚姻費用から減額されるのでしょうか？

A

婚姻費用の義務者（支払う側）が、権利者（もらう側）の居住する住宅に関する住宅ローンを支払っている場合、当該住宅ローンの借主名義が義務者本人であるのであれば、ローンの返済を婚姻費用とはみなさないのが原則です。

住宅ローンの返済は、借入時に設定された担保（抵当権）を消滅させ、完全な所有権を手に入れるための行為です。そのため、義務者本人の資産形成上の手段に過ぎず、**権利者世帯に対する生活費の支払いとはいえないため、住宅ローンの返済は、婚姻費用の支払いとはみなされません。**

もっとも、住宅ローンが収入に比べて高額な場合や、別居の原因が権利者側の有責行為（たとえば、不貞や態様によりモラハラも含まれます）にある場合、また、権利者側にある程度の収入がある場合などでは、「標準算定方式」の前提となっている「収入層別の平均的な住居関係費相当額」を婚姻費用から控除することを認める裁判例もあります。

この手の裁判例は数多く存在し、裁判の実情もケースバイケースといった側面が多いところです。ご自身がどういったケースに該当するのかは個別的な問題となるため、専門的な弁護士に相談されることをおすすめします。

そもそも「離婚」できるの？

Q

相手方が離婚に合意してくれないので、裁判で離婚するしかなさそう。どういった事情があれば、裁判所は離婚を認めてくれるのでしょうか？

A

離婚原因が「その他婚姻を継続し難い重大な事由」にあたれば、離婚が認められます。

法律は、次の5つの離婚原因を定めており、配偶者についてこれらのいずれか1つでも該当すれば、判決でもって夫婦を離婚させることができるとされています。

① 不貞行為

② 悪意の遺棄（生活を保護すべき配偶者を意図的に放置して生活困難な状況に陥らせること）

③　3年以上の生死不明

④　強度の精神病により回復の見込みがない

⑤　その他婚姻を継続し難い重大な事由

①から④までは状況が具体的に特定されていますが、⑤は「その他〜」という形で包括的・抽象的にしか定められていません。

何をもって「その他婚姻を継続し難い重大な事由」にあたるかは、個別の事例判断となりますが、モラハラもここに含まれてきます。

顕著なモラハラが存在しない場合、すなわち、単純な性格の不一致から離婚を求めるような場合、実務でよく用いられるのは「実質的な婚姻関係の破綻」という概念です。

実質的婚姻関係の破綻が認められる場合、「その他婚姻を継続し難い重大な事由」があると判断されます。

たとえば、夫婦関係の悪化に伴って、配偶者が家を出て長期間別居状態が継続し音信不通の状況にある場合などは、実質的に婚姻関係が破綻しているといえます。

Q 法律が離婚原因とする「不貞の行為」とは、具体的にどういった場合を指しますか？

A 最高裁判決の中に答えがあります。

最高裁判所は、民法770条1項1号の「配偶者に不貞の行為があったとき」の解釈について、

「配偶者のある者が、自由な意思にもとづいて、配偶者以外の者と性的関係を結ぶことをいうのであって、この場合、相手方の自由な意思にもとづくものであるか否かは問わない」

と述べています。

これは、売春や強姦のようなケースであっても、不貞にあたる趣旨を含むと理解されています。

なお、「性的関係」の範囲については、確立した判例が未だ存在していませんが、少なくとも、性器の挿入がこれにあたることには異論がありません。

「養育費」をしっかり決めておきたい

Q

養育費の金額を決める場合、直近の年収を基準に決めるって聞きましたが、離婚後に扶養手当がなくなって収入が減ることは考慮してもらえますか？

A

考慮してもらえる可能性が高いです。

養育費の算定資料として直近年度の年収が用いられるのは、多くの場合、離婚後の年収とその前年の年収は大きな差異がないであろうとの推定が働くためです。**夫婦関係を前提とする手当**（「扶養手当」「家族手当」など）**は、離婚によって失われる収入ですので、養育費の算定においてもこれを考慮すべきとするのが通常の考え方です。**具体的には、標準算定方式に当てはめる直近年度の年収から、当該手当の年額を控除することで修正します。

Q

将来、子どもを私立大学に進学させることに備えて、養育費とは別に私立大学への進学費用を支払わせたいのですが……。

A

確立した判例があるわけではありませんが、義務者の承諾など、増額を肯定すべき根拠がある際は、増額が認められる傾向にあります。

私立大学への進学を義務者自身が承諾している際は、承諾に伴う責任として、進学に要する費用を理由に養育費の増額が認められる傾向にあります。

義務者の承諾がない場合であっても、権利者や義務者自身の学歴や収入状況・資産状況まで加味し、個別的な判断として、養育費の増額が認められるケースがあります。

個別的な判断となってきますので、養育費の請求を考えた時点で一度詳しい弁護士に相談されることをおすすめします。

Q 離婚後に夫が再婚し別の女性との間で子どもをもうけたら、一度決めた養育費は減額されてしまいますか？

A 夫側が減額を求めてきたら、原則として減額されます。

養育費は長期的な扶養に関する問題ですので、一度決めてもその後の事情変更があれば、都度見直されるべき性質を持っています。**離婚後に夫側に新たに子どもが生まれたという事情は、この事情変更にあたり、養育費の減額事情になる可能性が高いです。**

もっとも、その時点での夫の所得が、離婚時と比較して大きく増えているような場合、新たな子の出生を加味しても逆に養育費を増額すべき状況にあることもあります。

また、あなたが監護されている子どもが離婚時には幼かったものの、夫が養育費の減額を求めてきた時点では満15歳になっているような場合、あなたの側にも養育費の増額を求める理由があることになります。

こういった場合、養育費が減額されるべきなのか、維持されるべきなのか、あるいは逆に増額されるべきなのかは個別の状況次第となります。

やはり、一度詳しい弁護士に相談されるのがよいと思います。

Q 相手に将来分の養育費を一括して支払わせることはできますか？

A 相手方が同意すれば可能ですが、そうでなければできません。

裁判所を利用して強制的に養育費を支払わせる際は、基本的に月々の支払いを命じることしかできません。

「財産分与」はどうなるの？

Q

夫が婚姻期間中に借金をしていたことが発覚……。
この借金は、私も返済しなければならないのでしょうか？

A

原則として、あなた（妻）が返済する必要はありません。
ただし、財産分与の中で考慮されることはあります。

夫婦であっても互いの財産は独立しており、配偶者の一方が他者に借金をした場合、貸し手に対して返済義務を負うのは借りた本人だけです。

例外は、その借金が一方の配偶者の遊興や仕事上の都合によるものではなく、生活費を賄うためのものである場合です。

この場合には、「日常家事債務」という理由で、貸し手に対して借りた本人と連帯して返済義務を負う可能性がありますが、実際にはそのようなケースはほとんどありません。

ただし、生活費を賄うための借入れは、一定の夫婦共有財産が存在する限り、財産分与の場面では考慮される可能性があります。

すなわち、財産分与の中で、借入金のうちの一部（通常は半額）をあなたに負担させる方向で調整されるということです。

夫婦相互にプラスの夫婦共有財産がほとんどなく、残されたのは借金だけというような極端なケースでは、そのような調整も不可能ですので、あなたは夫の借金について何も不利益を被らずに済みます。

Q 債務（借金等）も財産分与の対象になりますか？

A 債務自体は、財産分与の対象ではありません。

夫婦の間にプラスの財産がほとんどなく、あるのは借金だけといった事例であれば、財産分与は行われません。

借金のみを分割し、相手に半分支払わせるということはできないのです。

一方で、**財産分与は一切の事情を加味して判断される事柄とされており、一定の夫婦共有財産が存在する場合は、債務の清算も財産分与の中で行われるのが通常です。**

夫婦共有財産のうちプラスの財産が1000万円存在し、夫婦の生活費として作られた債務が500万円存在する場合、これを差し引きして500万円の共有財産を夫婦間で公平に分配すると考えるのが一般的です。

Q 退職金は財産分与の対象になりますか？

A なります。

退職金の支払時期は、離婚時期よりもだいぶ先となるケースが多いですが、そのような場合であっても、**財産分与の時点で退職金までを含めた清算を行うのが最近の家庭裁判所の実務です**。

しかし、そこでの退職金額は、将来受給する金額ではありません。**基準日（原則として別居日）時点で自主退職したと仮定した際の退職金額**を指します。

また、婚姻以前からその会社に勤めていた場合には、この退職金額をさらに婚姻期間で按分した額が財産分与の対象となります。

Q 確定給付年金や確定拠出年金も財産分与の対象になりますか?

A 原則的に対象となります。

ただし、基準日時点での財産的価値をいくらと評価すべきかについては、議論の余地があります。

この点については、確定給付年金は「脱退一時金」あるいは「年金に代わる一時金」のうち婚姻期間に対応する額、確定拠出年金については、運営管理機関に残高・時価評価額を照合して提示される「年金資産残高」あるいは「基準時までの拠出金の累積額」のうち婚姻期間に対応する額とするのが合理的です。

Q 私が親からもらったお金も財産分与の対象となるのでしょうか。

A 原則的になりません。

財産分与の対象となるのは、あくまでも夫婦共有財産です。

夫婦共有財産とは、婚姻期間中に夫婦が協力して築いた財産のことです。

あなたが個人的に親からもらったお金は、夫の協力とは関係のないものですので、夫婦共有財産にはあたらず、そのため夫に分与する必要のないものとなります。

このような贈与のケースに限らず、たとえば、あなたが親族の相続人として受け継いだ遺産や、あなたの親が掛金をかけ続けていた保険の解約返戻金なども夫婦共有財産にはあたりません。

法律的には、こうした夫婦共有財産にあたらないあなた個人の財産のことを「特有財産」と呼びます。

Q

夫は、株式会社を経営しています。
この会社の預金や不動産も財産分与の対象になりますか？

A

株式会社の預金や不動産は対象になりませんが、
夫が会社の株式を保有している場合は、その株式が財産分与の対象となります。

ただし、その株式が非上場株式である場合、その時価評価の算定方法について争いが生じやすいです。

個別の事情に関係し、かなり専門的な内容となってくるため、一度、離婚に詳しい弁護士に個別に相談されることをおすすめします。

「年金分割」のとり決めは？

Q

「別居期間が長いから、0・5ずつの割合による分割に応じない」と主張する夫の言い分は通るのでしょうか？

A

基本的に通りません。

財産分与は、夫婦の協力によって形成された資産の清算という面が強く、協力関係が解消される別居日を基準日とするのが通例です

しかし、この**財産分与の論理は、年金分割には当てはまりません。**

年金分割は、国民個人の老後の生活保障という政策的な意味合いが強い制度です。

そのため、夫婦共有財産を夫婦内で分配するという私権的意味合いの強い財産分与とはもともと性格が異なるのです。

年金分割について、0・5ずつの割合以外の判断がなされたケースは極めてまれで、実際、私たちが扱った事例でも0・5以外の割合で判断されたことはありません。

Q 夫が話し合いでの分割に協力してくれません。どうすればよいですか?

A 家庭裁判所に年金分割調停を申し立ててください。

それでも分割に応じてくれない場合は、裁判所が審判で0・5ずつの割合での分割を命じてくれます。

調停がまとまった場合、あるいは、審判で分割が命じられた場合は、調停調書や審判書とその確定証明書をもって年金事務所に行って年金分割を請求してください。

「面会交流」が不安……

Q
面会交流に協力したくない……。
面会交流を行わないことが許されるのはどういう場合ですか？

A
一般には、４つの面会交流の禁止・制限事由があります。

① 子が連れ去られるおそれがある場合
② 非監護親が子を虐待していた場合
③ 監護親が非監護親から暴力等を受けていた場合
④ 子自身が面会交流を拒絶している場合

もっとも、面会交流は、子の福祉に対する最大限の尊重という理念のもと、具体的な実現方法は各家庭の事情に応じて個別的・具体的に判断されます。

①～④の事情があったからといって直ちに禁止、というような単純な話ではなく、子の状況や意向、双方の親の状況等を踏まえながら、協議されることとなります。

基本的に、家庭裁判所は面会交流が子にとってプラスに働くものと考えており、仮に直接的な交流ができなかったとしても、手紙等を通じた間接的な交流を促し、子と非監護親の関係が断絶することを避けるように調整される傾向があります。

Q 交通費や食費等の面会交流に要する費用は、父母のどちらが負担すべきですか?

A 面会交流に要する費用について、法律の規定や確立した判例はありません。

監護親と非監護親の間で特別な合意がされればそれに従いますが、合意がない場合は各自負担というのが通常です。

各自負担というのは、事後的な清算を行わないことを意味しています。

たとえば、子の受渡し場所までの交通費や面会交流中の食事の費用等も実際に支払った側がこれを負担し、後からその一部または全部を他方に請求することは認められないということです。

Q

相手方が、私の父母（子からみた祖父母）にも子に会わせることを拒否しています。面会交流の手続きの中で祖父母との交流を実現させることはできますか？

A

今の法律は、祖父母の面会交流権を認めていないというのが通説的な見解です。

したがって、祖父母には孫との面会交流を求める権利がありません。

そのため、**祖父母が子と面会交流を行うには、基本的に監護親の承諾を得る必要があります。**

監護親がこの面会交流に協力する意思がない場合は、子と非監護親との面会交流の機会に同席することで孫と交流するよりほかありません。

現実的な問題として、監護親は、敵対する非監護親の親族に対して否定的な感情を抱いていることが少なくありません。

場合によっては、祖父母同席での非監護親の面会交流を拒否する親も存在します。

この場合には、家庭裁判所で行われる面会交流調停・審判を通じて裁判所に結論を出してもらうほかなくなります。

この場合、子の福祉の観点から、祖父母同伴での面会交流を実現した際の子の利益と不利益とを裁判所が検討して結論を出すこととなります。

離婚後に得られる「行政からの支援」は？

Q 母（父）子家庭のための制度は、具体的にはどういったものがありますか？

A 現金給付型の支援制度をはじめ、様々な制度があります。

ひとり親家庭に対する公的な支援制度として、まず挙げられるのは「児童扶養手当」です。

これは「母子手当」とも呼ばれることのある制度で、所得制限の要件を満たすひとり親家庭に対して現金が支給されるものです。

また、貸与ではありますが、**「母子父子寡婦福祉資金貸付金制度」**というものがあり、無利子ないし低利で生活資金等を借り入れることができます（ただし、審査があります）。

また、所得税の控除として「**ひとり親控除**」の適用を受けることもできます。

その他、自治体によって、「育成手当」「市民福祉手当」等の名目によって現金給付型の支援制度があったり、医療費助成制度があったり、公営住宅の提供を受けられたり、家事代行サービスを低額で利用できたりといった様々な支援策が用意されております。

実際にどういった制度が存在するかは自治体ごとに異なりますので、一度、お住まいの市区町村にご相談されることをおすすめします。

あとがき

私たちが家庭内でのモラル・ハラスメントに注目して、その問題解決に力を入れるようになったのは、2019年頃からでした。

この頃は、「〇〇ハラスメント」という言葉が社会的に流行した時期でした。

そのなかでも、私たちは、「家庭内」という衆人環視の及ばない空間で一方的な倫理や論理の押しつけによって発生するモラハラに着目していました。

本編でも記載しましたが、モラハラは、単なる嫌がらせの問題ではありません。

その嫌がらせが「隠蔽されやすい」という点こそが、むしろモラハラの本質だと考えます。

配偶者のモラハラに悩んでいる方は大勢いらっしゃいますが、モラハラ被害は概して周囲に認知されにくいものです。

モラハラ被害者の苦しみは非常に大きいにもかかわらず、密室で行われることから第三者に認知されず、周囲の理解が得られないがゆえに被害から抜け出せずにいる方が多くいらっしゃいます。

私たちは、このような、周囲に気づいてもらえない悩み、本人にしかわからない苦しみに光をあて、その方の孤独を理解し力になりたいと思い、モラハラ問題に取り組んでまいりました。

この姿勢は、今後も変わることはありません。社会のなかの見えづらい場所で起こる不公平を是正し、そこで悩まれている方の人生に貢献することができれば、法律事務所として、一定の社会的責任を果たすことができるように思います。

本書をご覧いただき、心当たりを感じる方は、ぜひ勇気をもって周囲に相談してみてほしいです。

理不尽な孤独に耐え続けるよりも、きっと意味のある将来に繋がると思います。

なお、本書でも離婚やモラハラに関するお役立ち情報を盛り込んではおりますが、紙面の都合から記載できる分量が限られております。もし、さらに詳しい内容をお調べになりたい方は、当事務所のＷＥＢサイトをご覧いただければ幸いです。

モラハラ情報

離婚情報

末筆となりますが、本書に最後までお付き合いくださった読者の方々に心より感謝申し上げます。

また、本書の出版にあたり、多分なご尽力をいただいた株式会社ぎょうせいの安倍様、堂坂様、加藤様には当事業部一同感謝しております。特に、堂坂様には、本書の構成面でも多くの助言をいただき、心より御礼申し上げます。

本書を手に取ってくださった皆様の将来が幸多いことを心より祈念して本書の執筆を終えたいと思います。

ありがとうございました。

令和5年10月

弁護士法人グレイス　家事部　一同

執筆者

弁護士法人グレイス　家事部

部長 弁護士 茂木佑介

本書執筆主任 弁護士 森田博貴

弁護士 桝井知子

弁護士 相川大祐

弁護士 高本稔久

弁護士 碓井晶子

弁護士 圓真諒

弁護士法人グレイス 家事部

弁護士法人グレイスは、「家事部」「企業法務部」「事故・傷害部」という分野特化の事業部を擁し、特定の分野に集中して、問題解決に取り組む。「家事部」では、離婚をはじめ、親権・監護・養育費、財産分与、不倫慰謝料請求、相続・相続放棄、遺言など、家庭に関する各種法律問題を幅広く取り扱う。年間1,000人の離婚相談に対応し、夫婦・親子に関する法律問題に関する豊富な知識と経験を持つ。

「夫がこわい」を卒業したいあなたの モラハラ離婚のトリセツ

令和5年12月20日　第1刷発行
令和6年10月20日　第2刷発行

著　者　弁護士法人グレイス 家事部

発　行　株式会社ぎょうせい

〒136-8575　東京都江東区新木場1-18-11
URL：https://gyosei.jp

フリーコール　0120-953-431
ぎょうせい　お問い合わせ　検索　https://gyosei.jp/inquiry/

〈検印省略〉

印刷　ぎょうせいデジタル株式会社

ISBN 978-4-324-11331-8
(5108903-00-000)
〔略号：モラハラ離婚〕